PAROLES
D'ÉTRANGER

Du même auteur

AUX MÊMES ÉDITIONS

La Nuit, *témoignage*

L'Aube, *roman*

Le Jour, *roman*

La Ville de la chance, *roman*
Prix Rivarol, 1964

Les Portes de la forêt, *roman*

Le Chant des morts, *essais et récits*

Les Juifs du silence, *témoignage*

Zalmen ou la folie de Dieu, *théâtre*

Le Mendiant de Jérusalem, *roman*
Prix Médicis, 1968

Entre deux soleils, *essais et récits*

Célébration hassidique, *portraits et légendes*
Prix Bordin de l'Académie française
(Coll. Points-Sagesses, 1976)

Le Serment de Kolvillàg, *roman*

Célébration biblique, *portraits et légendes*

Un Juif aujourd'hui, *récits, essais, dialogues*

Le Procès de Shamgorod, *théâtre*

Le Testament d'un poète juif assassiné, *roman*
I ivre Inter et prix des Bibliothécaires, 1980
(Coll. Points-Romans 1981)

Contre la mélancolie
(Célébration hassidique II)

CHEZ RANDOM HOUSE, NEW YORK

Ani maamin, un chant perdu et retrouvé
Édition bilingue

AUX ÉDITIONS DE L'UNIVERSITÉ DE NOTRE-DAME (USA)

Cinq Portraits bibliques

Quatre Maîtres hassidiques (*en anglais*)

Images de la Bible (*Overlook Press*)

ELIE WIESEL

PAROLES
D'ÉTRANGER

Textes, contes et dialogues

ÉDITIONS DU SEUIL
27, rue Jacob, Paris VIe

ISBN 2-02-006272-0.

Pour Sidi et Isi
et
à la mémoire
de leurs enfants
Bobbie et Martin
qui ont porté la parole
en terre étrangère

I. Pourquoi j'écris

Pourquoi j'écris ? Peut-être pour ne pas devenir fou. Ou, au contraire, pour toucher le fond de la folie.

Comme Samuel Beckett, le survivant s'exprime « en désespoir de cause » ; il écrit parce qu'il ne peut pas faire autrement. Ses connaissances, ses expériences l'isolent ; il ne peut pas ne pas les partager avec autrui.

Parlant de la condition du rescapé, le grand poète et penseur juif et hébreu, Aharon Zeitlin, s'adresse quelque part à tous ceux qui l'ont quitté, son père, mort ; son frère, mort ; ses amis, morts : « Vous m'avez abandonné, leur dit-il. Vous êtes ensemble ; sans moi. Moi, je suis ici. Seul. Et je fais des mots. »

Eh oui, comme lui, parfois je fais des mots. A contrecœur. Les mots me séparent de moi-même. Ils signifient absence. Et manques.

Comme métier, il y en a de plus faciles, de plus agréables sûrement. Mais, pour le survivant, écrire n'est pas un métier mais une obligation ; un devoir. « Un honneur, disait Camus. Je suis entré en littérature par l'adoration. » D'autres diraient : par la colère ou même par l'amour. Quant à moi, je dirais plutôt : par le silence.

C'est en cherchant le silence, en le creusant, que je me suis mis à découvrir les périls et les pouvoirs de la parole.

Dois-je rappeler que je n'ai pas voulu faire œuvre de

philosophe ou de théologien ? Seul le rôle du témoin m'attirait. Je croyais que, ayant survécu par pur hasard, je me devais de donner un sens à ma survie, de justifier chacun de mes instants. Je savais que je devais raconter. Ne pas transmettre une expérience, c'est la trahir, nous enseigne la tradition juive. Mais comment m'y prendre ? Quand Israël est en exil, la parole y est aussi, dit le Zohar. La parole a déserté le sens qu'elle était censée recouvrir ; impossible de les rapprocher. Décalage et déplacement irrévocables. Cela n'a jamais été plus vrai qu'au lendemain de la tourmente. Nous savions tous que jamais, jamais nous ne dirions ce qu'il fallait dire, jamais nous n'exprimerions en paroles cohérentes, intelligibles, notre expérience de la folie absolue. La marche dans la nuit enflammée, le silence avant et pendant les sélections, la prière monotone des condamnés, le *Kaddish* des mourants, la peur et la faim des malades, la douleur et la honte, les regards hantés, les yeux hagards : jamais je ne saurais en parler. Les mots me paraissaient usagés, bêtes, inadéquats, maquillés, anémiques ; je les désirais brûlants. Où dénicher un vocabulaire inédit, un langage premier ? Le langage de la nuit n'était pas humain mais animal sinon minéral : cris rauques, hurlements, gémissements sourds, plaintes sauvages, coups de matraque... Une brute qui cogne et un corps qui s'effondre ; un officier qui lève le bras et une communauté qui se met en marche vers la fosse commune ; un soldat hausse les épaules et mille familles éclatent pour ne se réunir que dans la mort : voilà le langage concentrationnaire. Il niait les autres en se substituant à eux. Plutôt que lien, il devenait mur. Pouvait-on le franchir ? Devait-on le faire franchir au lecteur ? Je savais que la réponse était non, mais je savais également que le non devait être transformé en oui. C'était le vœu, le testament des morts : il fallait briser l'écorce autour de la vérité noire, il fallait la nommer. Il fallait forcer les hommes à regarder.

8

L'oubli : obsession majeure, lancinante, de tous les habitants de l'univers maudit. L'ennemi misait sur l'oubli et l'incrédulité. Comment faire pour déjouer ses plans ? Et si la mémoire se vidait de sa substance, qu'adviendrait-il de ce que nous avons accumulé tout au long de la route ?

« Souviens-toi » : c'était ce que le père disait à son fils, et celui-ci à son camarade. « Ramasse les noms. Les visages. Les larmes. Si, par miracle, tu t'en sors, tâche de tout dévoiler, de ne rien omettre, de ne rien oublier. » C'était ce que chacun d'entre nous s'était juré : « Si, par miracle, je m'en sors, je consacrerai ma vie à témoigner pour ceux dont l'ombre pèsera sur la mienne à tout jamais. »

Voilà pourquoi j'écris certaines choses plutôt que d'autres : pour ne pas mentir.

Certes, il arrive au survivant d'éprouver des doutes, de céder à la faiblesse, au confort. Il entend une voix qui lui conseille de ne plus pleurer le passé : « Je veux moi aussi chanter l'amour, m'imbiber de son ivresse, je veux moi aussi célébrer le soleil et l'aube qui l'annonce ; je veux crier, et crier encore, et plus fort : écoutez, mais écoutez donc, je suis moi aussi capable de victoire, m'entendez-vous ? Je suis ouvert au rire, à la joie ! Je veux marcher la tête haute, le visage franc, sans devoir désigner la cendre là-bas, à l'horizon, sans devoir remanier les faits pour en cacher la laideur tragique ! Pour un homme né aveugle, Dieu lui-même est aveugle, mais regardez : je vois, je ne suis pas aveugle ! » Le survivant a envie de crier, mais le cri se transforme en murmure. Il s'agit d'un choix, il faut rester fidèle. C'est un bien grand mot, je le sais. Je l'emploie quand même, tant pis. Il me convient. Ayant écrit ce que j'ai écrit, je peux me permettre de ne plus jouer avec les mots. Si je dis que l'écrivain en moi obéit à un devoir de fidélité, c'est que c'est vrai. Ce sentiment-là anime tous les survivants ; ils ne doivent rien à personne mais doivent tout aux morts.

9

Je leur dois mes racines et ma mémoire. Je leur dois de transmettre l'histoire de leur disparition, même si elle dérange, même si elle fait mal. Ne pas le faire serait les trahir, donc me trahir. Et comme je me sens incapable de communiquer leur cri en criant, je me contente de les regarder. En écrivant, c'est eux que je vois.

En écrivant, je les interroge comme je m'interroge. Je crois l'avoir déjà dit ailleurs : j'écris pour comprendre autant que pour me faire comprendre. Y parviendrai-je un jour ? Quel que soit le point de départ, on aboutit à des ténèbres. Dieu ? Il reste Celui des ténèbres. L'homme : source des ténèbres. Le ricanement des tueurs, les larmes des victimes, l'indifférence des spectateurs, la complicité des uns, la complaisance des autres, le rôle du ciel là-dedans : je ne comprends pas. Un million d'enfants massacrés : je ne comprendrai jamais.

Les enfants juifs : ils hantent mes écrits. Je les revois, je les verrai toujours. Traqués. Humiliés. Courbés comme les vieillards qui les entourent comme pour les protéger, mais en vain. Ils ont soif, les enfants — et personne pour leur donner à boire. Ils ont faim, les enfants — et personne pour leur offrir un bout de pain. Ils ont peur — et personne pour les rassurer.

Ils marchent au milieu de la chaussée, comme des vagabonds ; ils se rendent à la gare ; ils ne reviendront plus. Dans les wagons scellés, sans air ni nourriture, ils voyagent vers un autre monde ; ils le devinent, ils le savent ; ils se taisent. D'un air recueilli, tendus, ils écoutent le vent, l'appel de la mort, au loin.

Tous ces enfants, tous ces vieillards, je les vois, je ne cesse de les voir, ils m'habitent ; je leur appartiens.

Mais eux, à qui appartenaient-ils ?

Il est de coutume de penser que, confronté à un enfant, l'assassin lui-même perd ses moyens. L'enfant provoque en lui un retour vers l'humain ; le tueur ne peut plus tuer l'enfant devant lui, l'enfant en lui.

Pas cette fois-ci. Chez nous, cela s'est passé différemment. Les enfants juifs de chez nous n'ont eu aucun effet sur les assassins. Ni sur le monde. Ni sur Dieu.

Je pense à eux, je pense à leur enfance — et leur enfance est une petite ville juive, et cette petite ville n'est plus. L'une et l'autre m'attirent et me font peur ; elles me renvoient une image de moi-même que je cherche et que je fuis en même temps — l'image d'un adolescent juif qui ne connaît aucune crainte hormis celle de Dieu, et dont la foi est entière, apaisante et non traversée d'inquiétude.

Non, je ne comprends pas. Et si j'écris c'est pour prévenir le lecteur que lui non plus ne comprendra jamais. « Vous ne pourrez pas comprendre, vous ne pourrez jamais savoir », c'était l'expression qu'on retrouvait, durant le règne de la nuit, sur toutes les lèvres. Je ne puis que la renouveler : « Vous qui n'étiez pas sous le ciel de sang, jamais vous ne saurez ce que c'était. Même si vous lisez tous les ouvrages, même si vous écoutez tous les témoignages, vous resterez de ce côté de la muraille ; vous ne verrez l'agonie et la mort d'un peuple que de loin, comme à travers l'écran d'une mémoire qui n'est pas la vôtre. »

Aveu d'impuissance ou de culpabilité ? Je n'en sais rien. Je sais seulement que Treblinka et Auschwitz ne se racontent pas. J'ai essayé pourtant, Dieu sait que j'ai essayé.

Aurais-je été trop ambitieux ? ou pas assez ? Sur une vingtaine de volumes, seuls trois ou quatre pénètrent dans le royaume fantasmagorique des morts. Dans les autres, par les autres, j'essaie de m'en éloigner. C'est qu'il est dangereux de s'attarder avec les morts ; ils vous retiennent et vous risquez de ne vous adresser qu'à eux. Me faisant violence, je m'en suis détourné pour étudier d'autres périodes, explorer d'autres destins, faire aimer d'autres récits : la Bible et le Talmud, le hassidisme et sa ferveur, le *Shtedtl* et ses chants, Jérusalem et ses appels, les Juifs russes et leur angoisse, leur éveil, leur courage... Parfois, il me semble que je parle d'autre chose dans le seul but de taire l'essentiel : l'expérience vécue. Il m'arrive de me le reprocher : et si je m'étais trompé dans mes choix ? J'aurais peut-être dû résister aux arguments et aux conseils, demeurer dans mon monde à moi, avec les morts.

Mais les morts, je ne les ai pas oubliés pour autant. Même dans les ouvrages sur Rizhin et Koretz, Jérusalem et Kolvillàg, ils y ont droit de cité. Même dans mes récits bibliques et midrashiques, je les sens là autour de moi, muets et immobiles, comme pour me juger. Leur présence est alors si réelle que les personnages les plus lointains semblent subir leur influence. Du coup, ils surgissent sur le mont Moriah au moment où Abraham se prépare à offrir son fils en holocauste à leur Dieu commun ; et sur le mont Nebo où Moïse entre dans la solitude et la mort ; et dans le verger de la connaissance, le *Pardès* où un certain Elisha ben Abouya, fou de douleur et de colère, décide de renier le ciel ; et dans les légendes talmudiques et hassidiques où il s'agit toujours de défendre les victimes contre les forces qui les écrasent. Techniquement, pour ainsi dire, ils sont ailleurs dans le temps et l'espace ; mais, sur un plan plus profond, et plus vrai aussi, ils font partie de chaque décor, de chaque récit ; ils meurent avec Isaac et pleurent avec Jérémie, ils chantent avec le Besht et, comme lui, ils attendent des miracles qui ne viennent pas.

Mais où est le rapport ? me demanderez-vous. Il existe, croyez-moi. Après Auschwitz, tout nous ramène à Auschwitz. Si je raconte Abraham et Isaac et Jacob, si j'évoque Rabbi Yohanan ben Zakkai et Rabbi Akiba, c'est pour mieux les comprendre, c'est-à-dire pour les comprendre à la lumière d'Auschwitz. Quant au Maguid de Mezeritch et à ses élèves, c'est pour retrouver leurs disciples lointains que je tente de reconstruire leur univers envoûté et envoûtant. J'aime les imaginer vivants et exubérants, célébrant la vie et l'espérance ; leur bonheur m'est nécessaire comme il l'était pour eux, jadis. Et pourtant, comment ont-ils fait pour maintenir intacte leur foi ? comment ont-ils fait pour chanter alors qu'ils allaient à la rencontre de l'Ange exterminateur ? J'en connais qui n'ont jamais vacillé ; je respecte leur fermeté. J'en connais d'autres qui ont choisi la révolte, la protestation, la fureur ; je respecte leur courage. Car il est un temps où seul celui qui ne croit pas en Dieu ne lui crie pas sa colère et son angoisse.

Ne jugez ni celui-ci ni celui-là ; il ne faut pas. Même les héros ont péri en martyrs, même les martyrs étaient des héros. Qui oserait opposer la prière au poignard ? La foi des uns vaut la force des autres. Il ne nous appartient pas de juger ; seulement de raconter.

Mais où commencer ? Qui inclure ? Qui évoquer ? L'on rencontre un *hassid* dans tous mes romans. Et un enfant. Et un vieillard. Et un mendiant. Et un fou. Ils font partie de mon paysage intérieur. La raison ? Pourchassés, persécutés par les tueurs, je leur offre refuge chez moi. L'ennemi voulait une société sans eux ? Je m'arrange pour en ramener quelques-uns. Le monde les reniait, les répudiait ; eh bien, qu'ils vivent au moins dans les rêves malades de mes personnages.

C'est pour eux que j'écris.

Pourtant, il arrive au survivant d'éprouver des remords. Il a essayé de porter témoignage ; c'était pour rien. Il a dit ce qu'il savait ; c'était pour rien.

Après la Libération, les illusions avaient pris forme d'espérances. On était convaincu que, sur les ruines de l'Europe, un monde nouveau serait bâti ; une civilisation nouvelle verrait le jour. Plus de guerres, plus de haine, plus d'intolérance, plus de fanatisme nulle part. Et tout cela parce que les témoins avaient parlé. Eh bien, ils ont parlé. Et c'était pour rien.

Ils continueront ; ils ne peuvent pas faire autrement. Lorsque l'homme, dans sa peine, devient muet, disait Goethe, Dieu lui donne la force de chanter son épreuve. Dès lors, il lui est interdit de ne pas chanter. Peu importe que son chant soit entendu ou non. L'important, c'est de combattre le silence par la parole ou par une autre forme de silence. L'important, c'est de cueillir un sourire par-ci, une larme par-là, et de justifier ainsi la foi que tant de compagnons vous ont accordée autrefois.

Pourquoi j'écris ? Pour les arracher à l'oubli. Et aider ainsi les morts à vaincre la mort.

II. Pèlerinage au pays de la nuit

Le commencement, la fin : toutes les routes de la terre, tous les appels des hommes aboutissent en ce lieu hanté à nul autre pareil : voici le royaume de la nuit où Dieu voile sa face et où un ciel en flammes se transforme en cimetière maudit pour une humanité engloutie.

La beauté du paysage frappe comme une insulte : les nuages si proches, la forêt si dense ; le calme, la qualité solennelle du tableau. Dante n'a rien compris. L'enfer s'insère dans un décor dont la splendeur sereine vous coupe le souffle.

Hasard de la nature ou calcul des tortionnaires ? Ce contraste entre la création divine et la cruauté humaine est visible partout où sévissait la loi nazie en application de la solution finale : ici comme ailleurs, à Birkenau comme à Treblinka, Majdanek ou Buchenwald, les théoriciens et les techniciens de l'épouvante collective opéraient non dans la hideur mais dans l'harmonie.

Cette beauté autour de Birkenau, je ne la découvre que maintenant. Trente-cinq ans auparavant, je n'en fus guère conscient. A l'époque, je ne voyais que les barbelés : l'univers s'arrêtait là. Le ciel ? Il n'y avait point de ciel à Birkenau. Le ciel de Birkenau, ce n'est qu'à présent que je le vois ; ce n'est qu'à présent que je capte sa lumière aveuglante et douloureuse : elle brûle la mémoire.

Quand ce lieu ensorcelé était-il plus irréel ? En 1944 ou en 1979 ? Je regarde, je regarde les tours de guet, les baraques vides, les allées du camp, et soudain, elles se peuplent comme en un songe : je retrouve les êtres apeurés et sans visage de jadis ; ils évoluent dans un monde à eux, dans un temps à eux, au-delà de la vie et même de la mort. La rampe, je revois la rampe. J'entends le tumulte du convoi à peine débarqué dans la nuit. Cris rauques, hurlements secs et gémissements sourds, aboiements de chiens : la machine bien réglée tue la pensée avant de broyer la vie. Où sommes-nous ? Où allons-nous ? Auschwitz : connais pas. Birkenau : connais pas. Les flammes rouges qui mordent le septième ciel n'évoquent aucune crainte, aucun souvenir. Les barbelés s'étendent à l'infini, et l'enfant en moi dit : tiens, l'infini existe. Un simple ordre, transmis par mille bouches, suffit à diviser la foule : d'un côté, les hommes ; de l'autre, les femmes. Dernières paroles, derniers regards. Dans le fleuve humain qui, saisi d'un étrange recueillement, s'écoule lentement, silencieusement, je vois pour la dernière fois une mère et sa petite fille, je les vois avancer la main dans la main comme pour se rassurer l'une l'autre, je les verrai ainsi, de dos, jusqu'à la fin de ma vie.

Comme jadis, j'entends quelqu'un réciter le *Kaddish*. Qui est-ce ? un mort ? un survivant ? N'aurions-nous, depuis cette première nuit, rien dit et rien fait que réciter la prière des morts pour les morts ? Ne vivrions-nous que dans leurs rêves ? Mais alors, pourquoi le soleil brille-t-il avec tant d'éclat ? Ici, à Birkenau, le soleil brille en pleine nuit. Est-ce pour l'apprendre que je suis revenu ? Mais non. Les survivants ne sont pas revenus à Birkenau. Ils ne l'ont jamais quitté.

Voilà pourquoi j'ai refusé pendant si longtemps d'y retourner. Et puis, j'avais peur. Peur d'y rencontrer des fantômes —

et peur de ne pas les rencontrer. Peur de me reconnaître parmi eux et peur de ne plus me reconnaître. Plus que tout, je craignais de me retrouver dans un musée.

Un jour, me disais-je. Un jour, je me mettrai en route. Je prendrai mon fils et sa mère, et nous ferons ensemble ce pèlerinage. Je leur montrerai l'autel de cendre qui aura marqué notre siècle de sa malédiction. Un jour, un jour...

Il arriva plus tôt et plus tard que prévu, et sûrement différent de celui que j'avais imaginé. Jamais je n'aurais pensé que je retournerais à Birkenau en groupe, en mission officielle, donc en représentation, sous le regard des envoyés spéciaux de la presse et de la télévision. Ce genre de voyage, on ne le fait qu'une fois et on le fait seul. Or, nous étions une quarantaine dans la délégation — envoyée par la Commission présidentielle de l'Holocauste — à visiter les anciens camps de la mort en Pologne. Juifs et Chrétiens, jeunes et vieux, survivants et amis, universitaires et hauts fonctionnaires : nous n'étions jamais seuls. Et pourtant, chacun de nous était plus seul que jamais. Il fallait voir, il fallait voir ces déportés et partisans rescapés méditant sur leurs disparus à l'endroit même où ils avaient tout perdu, il fallait les voir pour comprendre que certaines solitudes restent incommensurables. Seuls ceux qui ont vécu l'événement savent ce qu'il était ; les autres, du dehors, ne le sauront jamais.

Solitude : mot clé pour évoquer et décrire la condition au temps de l'épreuve. Vous marchez, marchez dans les rues et les ruelles de Varsovie où, à l'intérieur du ghetto, 600 000 Juifs avaient subi la faim et la terreur avant de succomber. Avant de partir à Treblinka.

Pourquoi la population polonaise ne les avait-elle pas protégés ou, du moins, secourus ? Nous avions essayé, nous disent les officiels polonais. Ils citent des faits, des chiffres : 100 000 Juifs cachés chez des Chrétiens... Il existait une organisation qui ne s'occupait que du sauvetage des Juifs pourchassés... Possible. Mais... il reste que les rares hommes et femmes à s'évader des trains ou de l'*Umschlagplatz* ne trouvaient refuge nulle part ; ils devaient rentrer au ghetto. Il reste que, lorsque le ghetto, pendant et après son insurrection, brûlait jour et nuit, des habitants de la capitale venaient en spectateurs admirer l'incendie et voir des combattants sauter dans les flammes. Il reste que 6 000 Juifs résident actuellement en Pologne. Avant la guerre, il y en avait 3 500 000.

Aussi, est-ce naturel qu'un Juif s'y sente déplacé aujourd'hui. Il cherche ses frères et ne les trouve pas ; il ne les trouve même pas parmi les morts. Un lambeau de phrase par-ci, une allusion par-là : pas assez pour rappeler leur mémoire aux générations futures. Nous avons tous souffert, nous disent les officiels polonais ; nous avons perdu 3 millions de citoyens non juifs...

Colloques, cérémonies, débats : le scénario est le même partout. Nos hôtes évoquent les victimes en général ; nous, nous parlons des Juifs. Ils mentionnent tous les tués en masse, tandis que nous leur expliquons : certes, il faut les rappeler tous, mais pourquoi les mélanger dans l'anonymat ? Les Juifs et les Polonais, c'est comme Juifs et Polonais qu'il faut s'en souvenir. Les Juifs, on les avait tués non pas en tant que Polonais, mais en tant que Juifs. Bien sûr, les uns et les autres affrontaient le même ennemi ; les uns et les autres étaient les victimes des nazis. Seulement on aurait tort de l'oublier : les Juifs étaient les victimes non seulement des nazis mais aussi de leurs victimes. Les Juifs seuls avaient été voués à l'extermination totale, non pour ce qu'ils avaient dit ou fait ou possédé, mais pour *ce qu'ils étaient*. Oublier cette distinction essentielle, c'est les renier. Nous disions donc à nos hôtes polonais : si vous oubliez les Juifs, vous finirez par oublier les autres. On commence toujours par les Juifs.

Ce problème — comment concilier la spécificité juive avec

l'universalité de la victime — nous hantait tout le long du pèlerinage. Et bien avant. La singularité de l'holocauste fut au centre de nombreux débats de notre commission. Chargés par le président Jimmy Carter de recommander un programme approprié en vue de maintenir vivante la mémoire des victimes de l'holocauste, certains membres soulevaient des questions concernant l'identité nationale des victimes : faudrait-il inclure les Bohémiens ? et les Slaves ? et les Arméniens ? Comme si une tragédie effaçait l'autre. Comme si, en parlant des Juifs, on tournait le dos aux millions de non-Juifs assassinés par leur ennemi commun. Or, ça n'est pas le cas. C'est le contraire qui se produit : ce n'est qu'en évoquant le martyre juif qu'on accentue le supplice et la mort des hommes libres et persécutés. L'universalité de l'holocauste réside dans sa particularité. Otez les Juifs de l'holocauste, et l'événement sera dépourvu de mystère.

Au bout de quelques rencontres avec les autorités polonaises, les monologues se transforment en véritables échanges. Nos interlocuteurs — le ministre de la Justice, le premier vice-ministre des Affaires étrangères, les hauts fonctionnaires du ministère des Anciens Combattants, les représentants du Parti — se montrent de plus en plus réceptifs, et c'est à leur honneur. Ils finissent par comprendre que, pour les Juifs, la Pologne représente un immense charnier invisible, le plus vaste de l'Histoire.

Ce soir-là, pour commémorer la destruction du Temple de Jérusalem, nous nous rendîmes à l'unique synagogue de Varsovie. Une douzaine de fidèles nous accueillirent rue Nozik. L'office eut lieu dans une petite salle délabrée, la synagogue principale étant en réparation.

Conformément à l'usage, nous renversâmes les bancs, ôtâmes nos souliers et, à la lumière clignotante des bougies, nous nous mîmes à réciter les Lamentations de Jérémie : « Eh quoi, elle est assise solitaire, cette ville si peuplée... semblable à une veuve, elle pleure durant la nuit, et ses joues sont couvertes de larmes... »

Tout en lisant à voix haute la description de ce que fut Jérusalem au temps de Jérémie, je jetai un coup d'œil vers ce qui restait de la communauté de Varsovie : quelques vieillards fatigués, hagards, désœuvrés. Soudain, je me rendis compte de l'incongruité de la situation : le texte parlait de Jérusalem mais s'appliquait à Varsovie, à la Varsovie juive... De nos jours, Jérusalem est bien vivante, gaie, exubérante : ses fils et ses filles chantent leur foi et leur joie à la face du monde. C'est Varsovie et ses Juifs morts ou exilés que Jérémie raconte. Varsovie avec ses écoles talmudiques, ses clubs culturels, ses cercles politiques, ses journaux et revues, ses animateurs et ses chantres, ses princes et ses fous : qu'en reste-t-il ? Un petit théâtre juif (au programme : sketches illustrés sur la vie de Marc Chagall), quelques bureaux, un hebdomadaire yiddish. Et... quelques pauvres bougies dont la cire tombe comme des larmes d'agonie.

Les Juifs de Varsovie ne sont plus à Varsovie ; ils sont à Treblinka, à deux heures de Varsovie.

Les Juifs de Varsovie sont sous les pierres de Treblinka ; ce sont les pierres de Treblinka.

Elles se dressent muettes, rigides, accusatrices.

On connaît l'histoire de Treblinka. Pour leurrer leurs victimes, les tueurs avaient construit une fausse gare avec de fausses inscriptions et une fausse horloge qui indiquait toujours 18 heures. Tout était faux, sauf la mort, vorace, aux aguets. Lorsque les Juifs comprenaient que la fin était proche, il était trop tard. Déjà, on les poussait dans les chambres à gaz, déjà, on les entassait à coups de matraque. Ils mouraient debout.

La meilleure description de ce camp d'extermination

rapide, c'est un menuisier de Varsovie qui l'a donnée. Jankel Wiernik a connu le camp, fin 1942. Il y a vu ce que nul homme ne peut voir sans perdre la raison. Il a témoigné. Son récit — bref, haletant, dépouillé — a paru en 1944. Lisez-le et vous traverserez des nuits blanches.

Les larmes des uns, la terreur des autres. Les bûchers. Les enfants morts, les vieillards résignés ou fous. Les efforts désespérés pour se montrer « heureux » des prisonniers acculés au désespoir, car le bourreau détestait les malheureux, les faibles, les malades : il leur interdisait le droit à la tristesse. Les mélancoliques, les cafardeux, il les envoyait à la mort.

En caressant les pierres de Treblinka, je songe à Yankel Wiernik. (« Réapprendrai-je à rire un jour ? » se demandait-il en rédigeant ses souvenirs. « C'est moi qui ai bâti l'autel... c'est moi qui ai conduit mon peuple au sacrifice... ») Je songe à lui et à ses camarades qui, dans un sursaut de colère et de bravoure sans précédent, se tournèrent contre leurs assassins. Leur soulèvement armé —- et victorieux — restera un des moments stupéfiants de la guerre. Les rescapés périrent pour la plupart aux mains des Allemands et de leurs complices qui les pourchassèrent dans la forêt. Comment fait-on pour maintenir vivante, agissante, la mémoire des morts et la gloire des insurgés ? Tous étaient égaux à Treblinka.

Et les centaines et centaines de pierres qui recouvrent le camp de bout en bout illustrent cette égalité : grandes et moins grandes, noires et grisâtres, toutes semblent imprégnées du même silence. De loin, au crépuscule, on les prendrait pour des Juifs enveloppés dans leurs châles rituels en pleine prière.

De partout on vient les voir. On vient les interroger : comment était-ce possible ? On ne comprendra jamais. On connaîtra peut-être un jour tous les aspects de ce projet démentiel, mais on ne comprendra toujours pas : comment des hommes pouvaient-ils faire *cela* à d'autres hommes ? A quelles lois obéissaient-ils, à quoi pensaient-ils en bâtissant des usines pour fabriquer la mort et en y envoyant des enfants par centaines et par milliers ? Qu'espéraient-ils obtenir, accomplir et prouver ?

Plongé dans le cauchemar, Jankel Wiernik se demandait : quel est le sens de cette tuerie ? à quoi rime-t-elle ? Il ne comprenait pas. Moi non plus. Je crois avoir lu tous les ouvrages — récits autobiographiques, essais, mémoires, documents et témoignages — traitant du sujet : je comprends de moins en moins.

Aux propos des savants et aux théories des philosophes, je préfère les pierres, les pierres austères et simples de Treblinka.

Auschwitz, c'est différent, c'est bien différent. Comme l'indiquait d'ailleurs notre programme : Auschwitz (Oświecim), un musée. Propre, bien entretenu : un vrai musée, quoi. Photos, diagrammes, flèches de direction sur les murs. Des guides expliquent : par ici messieurs dames. Le portail s'ouvre. La place d'appel. Les tours de guet, les bureaux administratifs. Par ici pour le bunker ; là, c'est le crématoire...

On nous conduit d'un bloc à l'autre, on nous fait visiter le pavillon juif récemment ouvert, on nous montre le mur des fusillés : tout cela n'est pas réel — moins impressionnant que Treblinka. Pour voir, je dois fermer les yeux. Le bloc 17 : j'y ai vécu avec les hommes de mon convoi. Je les cherche, je les suis. Les amis de mon père et les miens : sans âge et sans nom. Un cri les fait bondir dehors, je cours derrière eux. Ici, on fait tout en courant. On court pour se laver, se coucher, se présenter à l'appel. Le pas lent, mesuré, c'est pour les seigneurs allemands ; pas pour leurs esclaves. Je rouvre les yeux : par ici pour le buffet.

Souvenirs d'Auschwitz, cartes postales d'Auschwitz, ce lieu touristique produit un effet bizarre sur les anciens d'Auschwitz. Et pourtant. La vieille ritournelle : pour attirer le public, il faut s'adresser à lui dans son langage. Certaines concessions sont nécessaires et peut-être permises si le but semble assez sacré. Or, en existe-t-il de plus élevé que de rappeler les crimes commis ici même contre le peuple juif et contre l'humanité ? Alors que, un peu partout, des pamphlétaires indécents publient des ouvrages pour « démontrer » que Treblinka et Auschwitz n'ont jamais existé, rien ne paraît plus urgent que de faire venir autant de visiteurs que possible dans l'enceinte de ce que fut Auschwitz où tous les bâtiments demeurent intacts à la disposition de sceptiques éventuels. Va donc pour le musée. D'autant que tout reste authentique. Et pourtant. Comment décrit-on l'horreur d'une victime, une seule, le soir d'une sélection ? Et la faim, l'obsession de la faim, comment la montre-t-on ? En termes plus généraux : la mémoire est-elle transmissible en la structurant ? le temps d'Auschwitz est-il communicable dans un autre temps ? Difficile de répondre. Mettons que, sur le plan des faits, le musée obtient un résultat important : en le voyant, on sait au moins qu'il fut un temps où, dans ces baraques, des hommes d'origines et de pays divers subissaient la même loi et affrontaient les mêmes ténèbres. A Auschwitz, on sait au moins qu'Auschwitz existait.

Pour en savoir et en éprouver davantage, il faut aller à Birkenau.

Sans s'être consultés, les survivants se séparèrent de l'ensemble de la délégation présidentielle et formèrent un groupe à part. Se donnant le bras, ils avancèrent d'un pas lourd vers la rampe, traversèrent les rails et ne s'arrêtèrent que devant les ruines des chambres à gaz et du crématoire.

Respirant profondément, chacun d'eux sombra dans son être pour se libérer du présent.

En ce moment-là, il fallait effacer tous les ans, tous les mots, toutes les images qui nous séparaient de l'événement et du lieu ; il fallait retrouver la nuit dans sa nudité et sa vérité : il fallait retrouver l'inconnu avant qu'il ne devînt connu.

J'écoutais le vent qui traversait les arbres ; ce n'était pas le vent. J'écoutais le murmure qui montait de la terre ; ce n'était pas la terre qui murmurait, c'était la nuit, c'était la mort.

Que n'a-t-on pas dit sur ce lieu ? Philosophes et historiens, psychologues et romanciers, mus par des sentiments honnêtes ou par l'appât du gain, explorateurs de l'âme et de l'inconscient, tous ont pris cet univers de cendre comme sujet de préoccupation, et à juste titre : aucun sujet n'est plus vital pour notre génération. Pour comprendre les événements qui l'agitent, il suffit de les rattacher au phénomène de Birkenau. La colère des jeunes, la lassitude de leurs parents, la quête religieuse ou quasi religieuse d'absolu qui leur est commune, c'est ici qu'elles plongent leurs racines. Et pourtant. Ici les paroles, même les plus profondes et les plus humaines, comptent peu. Comme jadis. La force seule comptait jadis dans le royaume des barbelés et des ombres. Le seul langage était la violence. Fortune, éducation, culture, titres et position : dépouillé de son passé, le déporté ne pouvait y avoir recours. Nul repère, nul appui : on vivait, on mourait sans savoir pourquoi.

Avec les anciens de Birkenau et d'Auschwitz, je me tenais à l'endroit précis où, après les « sélections », nous avions tout perdu ; et je ne savais pas quoi dire.

Il n'y avait rien à dire.

Les enfants juifs ahuris, les vieillards battus, les tziganes récalcitrants. Les malades, les *muselmanner*, ces détenus résignés qui, fatigués de lutter, de s'accrocher, étaient morts avant de mourir : amenés des quatre coins de la terre

24

européenne et chrétienne et émancipée, tous échouaient ici dans les flammes et l'oubli : non, on ne pouvait rien dire.

Une prière ? Laquelle ? Il n'en existe aucune, dans aucun livre, qui s'applique aux chambres à gaz et aux crématoires de Birkenau : ce que des êtres humains ont fait subir ici à d'autres êtres humains ne peut pas ne pas impliquer Dieu. Les morts seuls auraient le droit de prier en ce lieu.

Non, il n'y avait rien à dire. Nous ne pouvions que serrer les dents avec violence. Et soudain, sans préméditation aucune, sans concertation préalable, un cri — le nôtre — se fit entendre, que le vent répercutait au ciel et sur la terre, le cri des martyrs juifs depuis toujours : *Shema Israël* (Écoute ô Israël), Dieu est notre Dieu, Dieu est un. Au bout d'un silence interminable, nous quittâmes l'endroit à reculons. Il faisait chaud mais nous grelottions. Derrière nous, un homme se mit à chantonner tout bas l'hymne des ghettos : *Ani maamin, Ani maamin...* (Je crois, je crois de tout mon cœur en la venue du Messie) ; et, bien qu'il soit en retard, je l'attends jour après jour.

Bien sûr, il viendra, il viendra. Mais pour les habitants de cet univers de cendre, ce sera trop tard. Et pour les autres aussi.

Mais pas pour les Juifs d'Union soviétique. Ils s'acharnent à vouloir rester juifs ; cela est un fait que nul ne songe plus à contester. J'en avais rapporté les premières preuves lors de mes voyages en URSS en 1965 et 1966. En ce temps-là, la renaissance juive était encore clandestine. A l'exception de la fête de *Simhat-Torah*, quand les jeunes se réunissaient par milliers, devant la grande synagogue de Moscou, rue Arkhipova, pour chanter, danser et célébrer leur foi dans l'allégresse, on ne rencontrait que la peur sur les visages juifs. Peur de se montrer. Peur de se faire remarquer. Peur de réveiller des haines ancestrales, de subir des souffrances ancestrales et nouvelles. Depuis, les choses ont changé. Les portes sont entrouvertes : 200 000 Juifs ont quitté la Russie soviétique pour Israël et les États-Unis ; le flot continue à un rythme variable.

Les candidats à l'émigration manifestent un courage exemplaire. Du jour où ils déposent leur demande, ils perdent leur emploi et leurs amis ; ils deviennent des marginaux, des parias. L'attente dure souvent des années. Elle n'empêche pas d'autres candidats de s'inscrire, de venir grossir les rangs. Certains essuient un refus pour des raisons absurdes de « sécurité », d'autres sans explication. On les appelle les *refuseniks* : ce sont les héros des années soixante-dix et quatre-vingt.

Leurs dirigeants avaient exprimé le souhait de nous rencontrer. Ils voulaient raconter, expliquer, déposer à leur manière. Nous les visitâmes chez eux. La longue soirée que j'ai passée en leur compagnie, chez l'un de leurs animateurs, je ne l'oublierai pas de sitôt.

Nous étions une quarantaine à bavarder, à analyser le présent pour mieux interroger l'avenir, puis à chanter. Avant de les quitter, au petit matin, nous leur demandâmes : « Que pouvons-nous faire pour vous ? » Ils ne voulaient rien. Seulement des livres. Que nous leur envoyions des livres : littérature, histoire, religion. Et aussi : essayer de convaincre les autorités russes de limiter la période d'attente à cinq ans...

Certains « Juifs du refus » sont venus à la synagogue de Moscou, le samedi où nous y étions. La salle était bondée. Prévenus la veille seulement, les Juifs de la capitale tenaient à venir saluer les visiteurs américains. Le service fut solennel et joyeux. Ce Shabbat, désigné comme celui de la « consolation » — car on y lit le chapitre d'Isaïe : « Sois consolé, sois consolé mon peuple » — reçut sa justification dans le présent : Juifs russes et américains puisèrent les uns dans les autres des raisons d'espérer.

J'avais reçu l'autorisation de prononcer un discours : jamais je n'ai eu public plus attentif.

Comme dans les années soixante, çà et là, des hommes et des femmes nous accostaient : « Ne nous oubliez pas, ne nous oubliez pas ! » Un vieillard me regarda, une lueur de reconnaissance s'alluma dans ses yeux : « Je me souviens de toi, dit-il en m'embrassant sur les deux joues, tu as tenu parole. » Je souris : de sa vie, le messager n'avait reçu récompense plus grande.

Mais le visiteur le plus apprécié, le plus fêté, fut un petit garçon juif de sept ans nommé Elisha qui nous accompagnait là aussi. Les Juifs de Moscou n'arrêtaient pas de l'admirer, de lui caresser les cheveux, de lui embrasser les mains avec nostalgie et amour, comme s'il était un prince d'un royaume lointain : cela faisait des années et des années qu'ils n'avaient plus vu un petit garçon juif disant ses prières à la synagogue.

Autre moment bouleversant : la rencontre avec le général Petrenko qui, en janvier 1945, à la tête de ses troupes soviétiques, avait libéré Auschwitz. Lors d'une réception organisée par les Anciens Combattants, je racontai au général la dernière nuit au camp. Sur le point d'être évacués, les prisonniers imploraient en silence les soldats et officiers de l'Armée rouge de se hâter, de faire un effort plus grand, de pousser de l'avant, c'était une question d'heures... « Nous vous attendions, dis-je, comme les Juifs pieux attendent le Messie... Absurde et incroyable, mais vrai : deux camarades sortirent des rangs et retournèrent dans le bloc pour le nettoyer : " Les soldats soviétiques vont arriver, expliquaient-ils, nous devons leur préparer une baraque propre. " »

« Nous avons essayé, expliqua le général Petrenko. Nous

avons tout fait pour arriver à temps. Un de mes officiers, Juif d'origine, se battait comme un fauve. Intrépide, il s'élançait à la tête de ses troupes pour brûler les étapes. Il tomba avant d'arriver au but... »

Petrenko et ses combattants trouvèrent un camp presque vide. Nous étions déjà en route. Marchant à pied ou roulant dans des wagons découverts, en pleine tempête de neige, nous sentions le vent qui nous ballottait au-dessus des montagnes invisibles. Au milieu des cadavres, nous ne savions plus qui vivait encore et qui ne respirait plus. Je me souviens d'un homme — c'était mon père — qui murmurait à lui-même ou à la nuit : « Dommage, quel dommage... » Que regrettait-il ? de n'être pas resté en arrière, au camp ? éprouvait-il de la pitié envers lui-même ? envers ses contemporains peut-être ? ou pour ceux qui allaient nous survivre ? Je me souviens d'un autre homme qui se mit à hurler tel un dément. Certains se mirent à fredonner la confession ultime d'avant la mort, d'autres récitèrent la prière des morts ou celles du jour de Kippour. Hystérie collective qui durait des jours et des nuits, des années et des vies.

Non, il n'y a rien à dire. Encore un *Kaddish,* et encore un ? Combien de prières peut-on réciter pour tout un monde ? combien de bougies doit-on allumer pour l'humanité tout entière ? Pour ne pas nous trahir en trahissant les morts, nous ne pouvons que nous ouvrir à leur mémoire silencieuse, et tendre l'oreille.

III. La fin d'un peuple?

Un peuple peut-il mourir? Peut-il, de nos jours, presque sous nos yeux, se disloquer aux quatre vents, sombrer dans le silence de son propre abîme?

Ces questions, vous les affrontez dès l'instant où vous pénétrez dans l'enceinte des camps surpeuplés et étouffants des réfugiés cambodgiens, des deux côtés de la frontière thaïlandaise.

Des milliers et des milliers d'hommes, de femmes et d'enfants, d'enfants surtout, vous regardent fixement comme pour vous forcer à répondre : pourquoi et au nom de quoi sont-ils privés de liberté et d'avenir? Seraient-ils irrémédiablement condamnés à vivre ainsi, à s'éteindre ainsi, en éternels quémandeurs de pain et d'éternité? Seraient-ils les derniers rescapés d'un pays écartelé, les derniers survivants d'une nation mutilée, violée et bâillonnée? Vous voulez répondre non, mais les faits disent oui : le Cambodge a trop souffert; les bombes américaines, les fusils vietnamiens et, pire que tout, la démence meurtrière de ses propres fils, les bourreaux agissant au nom d'une aberration idéologique. Il est saigné à blanc, le Cambodge; pour lui, c'est la fin. Si le monde ne secoue pas son indifférence, ce peuple mourra.

Certes, à la surface, les choses semblent s'être arrangées. Les bandes des Khmers rouges, en fuite dans les forêts, n'assassinent plus des communautés entières; les cités, déser-

29

tes sous Pol Pot, se remplissent de nouveau ; le fléau de la famine fait moins de ravages. La situation à Pnom Penh est plus ou moins stabilisée.

Mais il suffit de contempler les foules abattues et résignées qui peuplent ces camps pour comprendre : ils ont raison, les commentateurs qui prétendent assister à l'agonie du Cambodge.

Et pourtant, je n'y crois pas, je refuse d'y croire. Tout en moi s'insurge contre l'idée que, aujourd'hui, trente-cinq ans après la plus cruelle des guerres, un peuple aux traditions et souvenirs séculaires peut s'engloutir dans la mort et l'oubli. Mais en même temps je me rappelle d'autres expériences... Et je me dis : pour ma génération, tout est possible.

J'y croyais et je n'y croyais pas tout à la fois, et c'est pourquoi j'étais venu à la frontière thaïlandaise. Pour voir, écouter et témoigner.

Et vous empêcher de dire plus tard que vous ne saviez pas.

Comme toujours, c'est ce que l'on dit : « Nous ne savions pas, nous ne pouvions pas savoir. » Eh bien, maintenant, vous allez devoir chercher une autre excuse. Car maintenant, vous savez.

Comme moi, vous avez vu les images télévisées l'automne dernier [1] ; vous avez lu les reportages dans les journaux et les revues. Ces hommes à bout qui avançaient tels des somnambules ; ces femmes courbées qui n'avaient pas même la force de pleurer ; ces gosses décharnés, pourchassés, hantés par la faim et la terreur, qui couraient en trébuchant.

Vous avez vu, vous n'avez pas pu ne pas voir cette mère au visage de pierre qui portait dans ses bras son enfant mort. Les yeux de ces êtres qui semblaient à la fois aveugles et illuminés, tant leur vue vous était intolérable. Les corps alignés dans le

1. Ce texte a été écrit en 1980.

sable. Tortures, maladies, famine : les résultats, les conséquences, vous les avez vus.

Ne dites pas, ne dites plus que vous ne saviez pas.
Lorsqu'un peuple se meurt, aujourd'hui, en plein XXe siècle,
cela se sait.

Tendus, bouleversés, nous visitons trois camps. Le premier,
centre de transit du nom de Lupini, se situe dans la capitale
même, à quelques pas des hôtels luxueux où, le soir, les
clients sont accueillis au son de la musique de chambre. S'y
trouvent les « heureux », les « élus », c'est-à-dire ceux qui
vont bientôt émigrer vers les États-Unis, le Canada ou
l'Europe. Quelques milliers d'habitants dans un endroit où
quelques centaines se sentiraient à l'étroit. Baraques immen-
ses. Les familles ne sont pas séparées, pas même par un drap
suspendu. Mais les gosses rient, rient aux éclats ; ils s'accrochent à vous et vous les soulevez, et ils rient plus fort ; vous les
caressez, vous leur dites des mots qu'ils ne comprennent pas,
peu importe, ils vous aiment, c'est vrai, ils vous aiment parce
que, à leurs yeux, vous représentez le bon étranger, celui qui
leur veut du bien, qui les sortira d'ici, alors que, pour leurs
parents, dans les montagnes, l'étranger incarnait le danger.

Tandis que nous jouons avec les enfants, leurs parents, dans
des tentes spéciales, apprennent comment s'adapter aux
mœurs du monde occidental : comment utiliser les lavabos,
comment tenir couteau et fourchette, comment dire merci et
s'il vous plaît.

Les enfants, eux, ne connaissent que deux mots : « Okay.
Bye-bye. » Mais ils les emploient sur tous les tons, en toutes
les occasions : un chant qui nous hantera dans tous les camps
cambodgiens.

31

Sa Keo, c'est différent. Un étrange ordre y règne. On sent une certaine discipline à tous les niveaux de cette société singulière qui n'existe que dans les camps. Peu de monde dans les allées. Les enfants vont « en classe ». Les hommes, encore jeunes, suivent des cours conçus pour eux : anglais, arithmétique, hygiène. Cuisines, infirmeries, hôpitaux : pas de plaintes ni d'incidents. Le système fonctionne parce que les réfugiés eux-mêmes y ont intérêt. Ce sont des réfugiés d'un genre particulier : des Khmers rouges...

Ce camp de 30 000 habitants est entièrement sous leur contrôle, à ce qu'il paraît. Il serait donc une sorte de sanctuaire pour les guérilleros de Pol Pot qui s'y rendent pour se faire hospitaliser, panser leurs blessures, acquérir vêtements et armes, avant de repasser la frontière et rejoindre leurs camarades. Les autorités thaïlandaises en seraient conscientes — et contentes. Redoutant les ambitions territoriales du Vietnam qui domine déjà la plus grande partie du Cambodge, la Thaïlande ne serait pas mécontente de voir les bandes de Pol Pot jouer un rôle de tampon entre les deux pays. Dans quelle mesure est-ce vrai ? Tous les observateurs le pensent et le disent. A les en croire, Pol Pot aurait un homme à lui dans le camp pour diriger ses activités souterraines.

Je regarde ces jeunes garçons à peine sortis de l'adolescence, je les regarde apprendre des mots, des phrases élémentaires en anglais. Ils semblent s'amuser en prononçant des mots pour eux compliqués. Ils rient aux éclats, à l'unisson, ils frappent dans leurs mains ou sur leurs genoux ; on dirait des gosses. Mais je me rappelle d'où ils viennent, envoyés par qui, et ce qu'ils ont peut-être dû faire là-bas, au temps où leur chef se montrait déterminé à anéantir son propre peuple ; et je décèle dans leurs yeux sombres et rigides un voile plus sombre encore. Et je me demande : est-il possible qu'un peuple engendre des tortionnaires et des tueurs pour hâter sa propre mort ?

J'essaye de parler à plusieurs d'entre eux. Les garçons écoutent mes questions, me regardent droit dans les yeux et s'esclaffent en guise de réponse. Je leur demande d'où ils viennent, et ils disent : De là-bas. Leurs familles ? Là-bas. Comptent-ils y retourner un jour ? Ils échangent des regards entre eux et recommencent à rire.

Je regarde leurs mains, leurs visages, leurs bouches : est-il donc possible que ces gosses aient pu commettre les atrocités qu'on connaît ? Ils n'arrêtent pas de rire, et ça me glace le sang.

A l'hôpital, j'engage la conversation avec quelques blessés de guerre. Sur quel champ de bataille se sont-ils battus ? Quand ? Mon interprète fait de son mieux ; mes interlocuteurs ne semblent pas me voir.

J'attrape une fillette d'une dizaine d'années. D'où vient-elle ? De l'autre côté. C'était bien là-bas, de l'autre côté ? Elle se fige : Non, dit-elle, ce n'était pas bien. Et, après une hésitation, elle ajoute : Ce n'est bien nulle part.

A Sa Keo, les enfants ne vous courent pas après en criant : « Okay. Bye-bye. »

Khao I Dang : nous nous enfonçons dans une masse humaine dense et fiévreuse. 110 000 personnes sont entassées ici dans des baraques qu'on dirait transparentes. Hommes moroses, en guenilles. Femmes immobiles, muettes. Une fillette s'occupe de son petit frère : elle le lave et lui donne à manger. Des enfants aux yeux dévorés par une mort proche et calme. Misère extrême. Abandon total partout. Des fantômes qui charrient des souvenirs lancinants d'exécutions sommaires, de sauvages assassinats. Vous essayez de leur parler, d'établir avec eux un échange, un rapport humain. Vous aimeriez leur dire de ne pas perdre confiance : un peuple ne meurt pas comme ça, du jour au lendemain ; un peuple qui souffre est souvent plus fort que la mort. Mais les mots n'ont pas le même sens pour eux et pour vous — vous vous demandez même s'ils ont le moindre sens, devant cette souffrance immense et anonyme. Et c'est vous qui perdez confiance, vous qui perdez courage.

J'interroge Ing, jeune Cambodgienne renfermée, à la fois obstinée et douce, qui doit avoir douze ans. Dans ses yeux, une sagesse sans fond, je m'y noie. Elle parle bien le français. Je lui demande : « Qu'aimeriez-vous que j'apprenne de vous, de votre vie ? — Je m'appelle Ing, dit-elle. Et je suis vivante. » J'interroge sa voisine, plus jeune ou plus âgée qu'elle, comment savoir : d'où vient-elle ? Elle nomme un village près de Pnom Penh. Je lui dis : « C'est loin d'ici ? — Oui. Loin. — Racontez-moi la distance ou le trajet parcouru depuis votre village. — Raconter ? s'étonne-t-elle. Pourquoi le ferais-je ? Je viens de là-bas, je suis ici : ça ne vous suffit pas ? »

Vous vous sentez comme un intrus. Mais vous finissez par rencontrer des personnes qui consentent à parler, à se livrer. Seulement des difficultés d'un autre genre surgissent alors : tous les récits, racontés toujours sur un ton neutre et lent, se ressemblent. La brutalité des Khmers rouges. Pendaisons. Fusillades. Noyades. La terreur. L'exode. Vie clandestine. A des noms et des détails près, tous les souvenirs sont identiques. Parfois, c'est un garçonnet qui parle, et alors il vous brise le cœur précisément parce qu'il raconte des horreurs sans nom sur un ton simple : il a vu les Khmers rouges déchiqueter le corps de son père encore en vie. Un autre les a vus arracher les paupières de son frère. Les tortionnaires et les tueurs ont commis leurs atrocités en public, devant les familles des victimes. Système ou hasard ? Comment savoir ?

Une jeune infirmière me dit — enfin — son bonheur : elle

est bien nourrie, bien vêtue. Elle compte émigrer aux États-Unis. Sa famille ? Presque entièrement disparue. D'ailleurs, peu de familles sont encore intactes. Je ne sais pourquoi, mais je lui demande si elle rêve la nuit : « Oui, dit-elle en rougissant. Je me revois dans mon village natal, avec les miens. Ils courent en riant, je leur cours après en hurlant de peur. Toujours le même rêve. » Je la contemple. Est-elle triste ? Elle ne le montre pas. Pudiques, soucieux de sauver la face, ces réfugiés, beaucoup plus que ceux que j'avais fréquentés, jadis, ailleurs. « Je suis triste pour vous, dis-je à la jeune infirmière : vous ne reverrez plus jamais votre village. — Il ne faut pas, dit-elle. Il ne faut pas être triste à mon sujet. Mon village, je le reverrai, je vous le promets. — Quand ? — En rêve », dit-elle en se détournant.

Rendons hommage aux organismes internationaux de secours. Leurs représentants, souvent des volontaires, ont le zèle des missionnaires. On les rencontre dans tous les camps, s'occupant de toutes les tâches. Médecins, infirmiers, institutrices, chauffeurs : brigades internationales improvisées qui, sous l'égide du Comité international du secours, du Secours catholique ou de la Croix-Rouge, peuvent se vanter de mille miracles mille fois répétés. Israéliens et Italiens, Juifs et Chrétiens, Anglais et Français : certains ont abandonné foyer et métier pour s'occuper de ces êtres déracinés, de ces enfants vidés d'espérance.

Parfois, un journaliste devient agent de liaison : il rencontre la femme à Pnom Penh et le mari au Colorado, et tout cela par hasard. Il leur sert de lien. Il aidera la femme à arriver en Thaïlande, puis à rejoindre son mari : c'est leur ange gardien. Et tous ceux qui ont participé à cette histoire connaissent une rare sensation de bonheur. Victoires limitées, individuelles, certes, mais nécessaires pour persévérer.

Car le drame subsiste. Aux interprètes et aux réfugiés eux-mêmes, je pose toujours la même question : Est-ce donc vrai ? serait-ce la fin de votre peuple ? Et tous de hocher la tête en souriant, en riant : Oui, c'est la fin.

Comment fait-on pour empêcher la mort d'un peuple ? Juif, je devrais être en mesure de répondre à cette question. Seulement, nos expériences ne sont pas identiques. Certes, nous avons en commun une certaine souffrance, une certaine persécution, nous avons en commun un sentiment d'abandon et de déracinement, mais, ici, l'injustice n'est pas d'origine raciste. Ici, victimes et bourreaux sont frères : le peuple cambodgien a souffert plus de ses propres fils devenus fous que des bombardiers américains ou vietnamiens. Et puis, n'en déplaise aux spécialistes de la publicité facile, Auschwitz ne se situe pas en Asie. Le Cambodge était ravagé par une guerre civile, fratricide, tandis qu'Auschwitz c'était autre chose... Ce nom, devenu symbole, ne s'applique qu'à un seul événement mais dont la portée est universelle ; on ne devrait pas l'employer à tort et à travers. De même pour le mot *holocauste*. Sa place n'est pas ici. Chaque tragédie mérite son propre vocabulaire. Mais alors, pourquoi suis-je venu ici ?

Eh bien, voilà : ayant vécu une certaine expérience nocturne et ténébreuse, ayant écrit ce que j'ai tenté d'écrire, et cela depuis trois décades, il m'était impossible de ne pas affronter cette masse de souffrance qui nous défie et parfois nous accuse.

J'ignore la portée de mon geste ; j'ignore les répercussions de notre action, mais je sais que, devant ce qui se passe au Cambodge, des deux côtés de la frontière, un homme comme moi, avec une mémoire comme la mienne, se devait d'être présent.

Est-ce à dire que je compare malgré tout le passé au

36

présent ? Au contraire, je l'en détache. Mais par ma présence, par ma personne, je tiens à suggérer un lien, c'est tout. Plutôt qu'analogie, Auschwitz devient point de repère : une sorte de référence. Et un avertissement angoissant.

Voilà pourquoi j'ai tenu à venir au Cambodge et participer à la Marche pour sa survie. Oh, je n'avais pas d'illusions sur notre pouvoir. Quoi, un petit groupe d'écrivains et d'artistes saurait infléchir le cours de l'histoire ? et contraindre les Vietnamiens de Hang Semrin de nous recevoir les bras ouverts ? et convaincre nos propres gouvernements d'accueillir ces multitudes déracinées pour les réinsérer dans la société ? Tant de naïveté n'est pas permise. Les camions seront déchargés en Thaïlande. Et le riz distribué dans ses villages pauvres. Et le nombre d'apatrides augmentera de jour en jour. Et, au bout d'une semaine, ou d'un mois, la presse parlera d'autre chose. L'actualité bouge et fait bouger. L'agonie cambodgienne ? Les gens s'en lasseront.

Et pourtant. Je ne regrette pas d'être venu. Je ne regrette pas d'avoir fait 50 heures d'avion — le tour de la terre — pour échouer ici, à la frontière qui demeurera, tel le Château de Kafka, inaccessible. Je ne regrette pas d'avoir fait ce voyage pour rien. A mes amis manifestants, je disais : Nous ne parviendrons pas à changer la société, essayons au moins de faire en sorte qu'elle ne nous change pas.

Est-ce vraiment la fin du Cambodge ? Certains peuples, en partant vers l'exil, emportent les os de leurs ancêtres ; ou leurs ouvrages anciens, leurs reliques, leurs trésors. Le peuple cambodgien, qu'a-t-il emporté ? Ses blessures. Ses larmes contenues, enfouies.

D'où mon appréhension : c'est peut-être la fin, la fin d'un peuple que je ne connaissais pas — et que je ne connaîtrai plus.

IV. Dialogues

1. Un enfant et son grand-père.

— Jadis, je t'ai enseigné la ferveur.

— *Je m'en souviens.*

— Et la passion.

— *Je m'en souviens.*

— Et le chant.

— *Je m'en souviens, grand-père.*

— Alors chante !

— *Je ne peux pas. Comprends-moi ; ne m'en veux pas. Mon regard est brûlant mais il rencontre des yeux éteints. Je loge au cimetière, grand-père. Comme toi, je suis mort : ta voix seule me parvient. T'entendrais-je si je n'étais pas mort, dis ?*

— Tu m'entends mal ; tu interprètes mal mon enseignement. Tu es vivant, alors vis !

— *Je n'en suis pas capable, grand-père. Au début, j'ai essayé ; j'ai échoué. Je t'ai trop aimé ; tu n'es plus là. Tous ceux que j'ai aimés, je les aime encore ; et ils ne sont plus là. Je fais tout pour leur ressembler. Pour les suivre aussi.*

— Je ne te permets pas ! Je t'ordonne de vivre ! Dans l'extase si possible, dans la foi sûrement ! En chantant, m'entends-tu ? En chantant ! Tu veux que je t'aide ? La dernière fois que nous étions ensemble, c'était pour les *Grandes Fêtes* du Nouvel An.

— *Je me le rappelle, grand-père.*

— Nous étions allés chez le Rabbi pour assister à l'office solennel. Les disciples pleuraient, le Rabbi non. Il gardait le silence, lui. Nous récitions nos prières et nos litanies, implorant le ciel de nous protéger, de nous laisser en vie, nous versions des larmes sans fin ; pas lui, pas le Rabbi. C'est qu'il devait se douter de quelque chose. Peut-être avait-il deviné qu'il était trop tard : le décret avait été signé ; impossible de le révoquer.

— *Mais alors, pourquoi se taisait-il ? S'il savait, il n'avait qu'à pleurer davantage !*

— A un certain moment, juste avant de sonner le *Shofar*, il se mit à chanter, ce qu'il n'avait jamais fait, ce que nul n'avait jamais fait avant lui.

— *Cela me revient : son chant nous bouleversa.*

— Les paroles, tu te les rappelles ?

— *Non. Seulement la mélodie.*

— Un verset des *Psaumes.* « Les morts ne chantent pas la gloire de Dieu... » Eh oui, le Rabbi le savait. Il essaya donc de faire l'impossible : annuler l'édit. Si tu tues ton peuple, si tu permets qu'on l'anéantisse, qui fera ton éloge ? qui te sanctifiera par le chant ? Il chantait de tout son cœur, de toute son âme, devinant que c'était pour la dernière fois. Voilà ce que nous n'avions pas compris ; pour nous, c'était la première fois. De tous les hommes et de toutes les femmes qui étaient présents, tu es le seul survivant, le seul à porter son chant en toi : fais qu'il vibre, qu'il éclate ! Chante à sa place, et à la mienne !

— *Je ne peux pas, grand-père. Il ne faut pas que tu me pousses à faire ce qu'il m'est impossible de faire. Ma place est avec toi, mon cœur est endeuillé. Ils ont assassiné l'enfant que j'étais, et tu veux que je chante ?*

— Je veux que tu restes en vie.

— *Essaie de me comprendre, grand-père. Essaie de me pardonner.*

2. Un enfant et sa grand-mère.

— *En dessous de tes vêtements, tu portais ton suaire.*

— Bien sûr.

— *Tu avais eu un pressentiment ? tu savais que le train nous conduisait à la mort ?*

— Bien sûr.

— *Tu aurais dû nous le dire.*

— Qui m'aurait écoutée ? Propos de vieille femme, voilà ce qu'on aurait dit.

— *Tu étais belle ce jour-là, grand-mère. Calme, paisible. Presque sereine.*

— Tout le monde avait peur, moi non. La peur, c'est comme la douleur. Tu as mal, très mal, puis tu n'as plus mal : tu es au-delà de la douleur. Et de la peur.

— *Tu souriais. Comme...*

— Le soir du Shabbat ?

— *Non. Comme le vendredi matin. Je rentrais du héder tout essoufflé et je m'arrêtais chez toi. Tu me tendais un petit pain tressé tout chaud, tout croustillant. Vite, je me lavais les mains ; vite, je récitais la prière d'usage ; vite, je mordais dedans. Et toi, grand-mère, avec ton fichu noir sur la tête, assise dans ta cuisine, tu m'observais en souriant ; et ton sourire signifiait pour moi refuge et amour : il annonçait le Shabbat et sa joie, le Shabbat et les anges de la paix qui l'accompagnent dans le temps et jusqu'au cœur des hommes.*

— Le dernier vendredi, tu t'en souviens ?

— *Je m'en souviendrai jusqu'à la fin de mes jours, grand-mère. Nous étions déjà dans le ghetto.*

— Nous vivions un peu à l'étroit, mais nous n'étions pas tristes.

— *Nous ne savions pas.*

— Moi oui. Je savais. Ce vendredi-là, j'ai mis la pâte au four, comme d'habitude, et l'ai retirée noircie : elle était laide, immangeable. A plusieurs reprises. Les échecs se suivaient. Je n'arrivais pas à sortir le moindre petit pain tressé pour Shabbat. Alors, j'ai su.

— *Et pourtant, tu semblais sereine.*

— Tu as oublié. Tu ne m'as pas vue. Tu es entré dans la cuisine et je t'ai tourné le dos. Pour ne pas te voir ; pour ne pas être vue de toi. Je t'ai tendu un bout de gâteau. Tu m'as demandé : mais le pain tressé, où est-il ? Je t'ai répondu : il faut le garder pour ce soir, pour le repas de Shabbat.

— *Mais le soir, je m'en souviens, tu semblais apaisée.*

— C'était le Shabbat déjà. Je me disais : c'est le dernier Shabbat ici, le dernier Shabbat avec mon petit-fils et ses parents, le dernier Shabbat de ma vie. A quoi bon protester ? J'ai choisi la résignation, la soumission à la volonté du ciel. En un sens, j'ai même éprouvé un étrange sentiment de satisfaction : je n'aimais plus le monde et ses habitants ; je n'aimais plus la création.

— *Le dimanche, tu as mis le suaire sous tes vêtements.*

— J'avais l'impression de suivre mon propre enterrement. Sauf qu'il n'y a pas eu d'enterrement. Dieu s'est détourné de la terre ; il a choisi le feu à sa place. Quoi, tu ne le sais pas ? Dieu a vu quelqu'un mettre le feu au monde et Il s'est mis à pleurer pour que ses larmes éteignent l'incendie. Mais Ses yeux étaient secs.

3. Un enfant et un étranger.

— *Raconte-moi une histoire, étranger.*

— Détourne tes yeux, petit. C'est dangereux de me regarder. Je porte malheur.

— *Raconte-moi une histoire. N'importe laquelle. Je ne peux pas vivre sans histoires.*

— N'écoute pas, petit. Bouche tes oreilles. C'est dangereux de m'écouter. Mes paroles font mal. Elles te déchireront le cœur ; elles te donneront le cafard. Va, choisis un autre interlocuteur, un autre compagnon.

— *C'est toi qui m'intéresses, toi seul.*

— Pourquoi ? Parce que je te rappelle quelqu'un ?

— *Peut-être.*

— Ton père ?

— *Possible. J'ai oublié de quoi il avait l'air.*

— Ton frère ?

— *Oublié aussi. J'ai tout oublié, étranger. Je souhaite t'écouter pour me refaire une mémoire comme d'autres se refont une carrière ou une vie.*

— Tu veux que je te donne mon passé, c'est cela ?

— *C'est cela.*

— Même s'il est plein d'horreur et d'épouvante ?

— *Rien ne m'effraie, étranger.*

— Et si je te disais que je suis la Mort ?

— *Je refuserais de te croire.*

— Pour quelle raison ?

— *La Mort ne donne pas ; elle ne fait que prendre.*

— Tu es si jeune et tu parles de la Mort comme un vieillard.

— *Je suis vieux, plus vieux que toi, plus vieux que mes vieux maîtres de jadis. A sa mort, mon père n'avait pas atteint mon âge.*

— Et si je te disais que je suis ton père ?

— *Je te répondrais que tu mens.*

— Et si je te donnais des preuves ?

— *Tu es un étranger ; mon père était mon père.*

— Mais ton père est mort, tu viens de me le dire. Pourquoi ne pourrait-il pas revenir comme un étranger ?

— *Les morts ne reviennent pas ; nous allons vers eux. Ils nous attendent. Mon père m'attend.*

— Tu cherches à le rejoindre, c'est bien cela ?

— *Je le cherche, c'est tout ce que je sais. Je me cherche près de lui. Nous avons trop peu vécu ensemble. Il me manque.*

— Il était fort ?

— *Parfois.*

— Sage ?

— *Souvent.*

— Généreux ?

— *Toujours.*

— Tu vois, petit. C'est toi qui me racontes des histoires.

— *Je sais. Je ne saurais vivre sans histoires.*

— Racontées à un étranger ?

— *Racontées par un étranger.*

— Et si je te disais que...

— *Ne dis plus rien. J'ai trop parlé.*

4. Un enfant et sa mère.

— *Je t'ai vue, tu sais.*

— ...

— *Je t'ai vue dans la foule.*

— ...

43

— *Elle se retirait, la foule, comme la mer sombre se retire du rivage.*

— ...

— *Je ne savais pas.*

— Que ne savais-tu pas ?

— *C'était la dernière fois que je te voyais.*

— Oui. La dernière fois.

— *Tu ne t'es pas retournée.*

— ...

— *Pas même une fois.*

— ...

— *Pourquoi n'as-tu pas essayé, dis ? Pourquoi n'as-tu pas essayé de jeter un coup d'œil en arrière vers moi ? Je voulais tellement te voir, te voir une dernière fois.*

— On nous poussait. Lentement mais irrésistiblement. La marée nous poussait en avant.

— *Je sais, je sais. Quand même. Ça me manque : cette image — toi, me cherchant, toi, me regardant — me manque.*

— ...

— *Dans le train, une heure auparavant — ou était-ce une semaine ? une vie ? —, tu disais, tu nous disais : restons ensemble, surtout faites attention : restons ensemble. Quelqu'un, grand-mère peut-être, murmurait que nous ferions mieux de prévoir toutes les éventualités, sans les nommer. Toi, tu as eu le courage de les nommer. Tu as dit : si on nous sépare, nous nous retrouverons après la guerre. A la maison. Tes dernières paroles.*

— ...

— On nous a séparés. Le temps d'un cri étouffé. D'un battement de cœur. Dispersée, disloquée, notre famille. C'était quand, la descente du wagon ? la découverte des barbelés ? C'était quand, l'ordre : « Familles, restez ensemble ! » ? En moins d'une fraction de seconde, je n'étais plus le même. Arrachement total, définitif : sentiment de perte, d'abandon. Je

ne faisais que te chercher dans la foule, je te cherchais du regard
pour t'appeler, pour te suivre, pour te dire ce qu'un fils doit dire à
sa mère et que, moi, je n'allais plus pouvoir dire. Depuis,
j'étouffe.

— Pourtant je t'ai vu.

— Mais nous étions séparés. Et tu ne t'es pas retournée.

— Je t'ai vu devant moi.

— C'est vrai? Mais devant toi, c'était la nuit en flammes?

— Je t'ai vu.

— Moi je n'ai vu que ton dos, je t'ai vue de dos.

— ...

— Je te cherche encore. Je t'obéis. La guerre est finie et je
veux rentrer à la maison. Mais je n'ai plus de maison. Tu vois?
On nous a séparés et nous ne nous sommes pas retrouvés.

— ...

— Mais je continue à te chercher, j'essaye d'arrêter la marée.
Je te vois marcher, avec ma petite sœur, la main dans la main,
je vous vois, et mon cœur se serre, se serre. J'ai mal, j'ai mal et
je ne sais comment faire pour ne pas hurler; j'ai mal et je ne sais
quoi dire, ni quoi faire. Quelle vie, quelle vie.

V. L'éternité étrusque

Je me souviens, je me souviendrai longtemps de notre première rencontre, je veux dire : de notre vraie rencontre. Elle s'ouvrit et se referma comme une blessure.

C'était quelques semaines après son arrivée au campus. Les étudiants juifs avaient organisé une soirée pour célébrer je ne sais plus qui ou quoi avec discours, programme artistique et rafraîchissements : il fallait satisfaire tous les goûts. Les affiches disaient : entrée libre. Ce qui signifiait aussi : tout le monde est libre de s'abstenir. Résultat : beaucoup d'étudiants et peu d'enseignants dans la salle. En vérité, j'avais moi-même autre chose à faire mais j'aime les réunions juives, je les aime même quand je les trouve ennuyeuses et agaçantes : il y a toujours des antisémites qu'on nous demande de combattre, des persécutions que nous devons dénoncer et des Juifs qui ont besoin d'alliés. Les discours sont toujours et partout les mêmes ; seuls les noms changent. On dirait que le monde entier n'a qu'une idée en tête : menacer, humilier ce malheureux peuple qui ne trouve même pas — ou surtout pas — de répit dans ses rapports avec Dieu. Alors, on fait ce qu'on peut : on organise des soirées. Pour un Juif, c'est rassurant d'être parmi des Juifs, même si c'est pour parler de leurs souffrances passées et présentes.

Un étudiant récita des poèmes ; un autre les commenta ; un troisième les expliqua ; un quatrième combla les lacunes.

46

Normalement, j'aurais dû en rire. Or, je cédai, comme toujours, à l'émotion collective. J'écoutai les yeux fermés.

Poèmes tristes, tristes à mourir, bouleversants de simplicité : la vie sans rêve dans un univers aride et étouffant, l'espérance des êtres vidés d'espérance. Des auditeurs, dans la salle, eurent des gestes furtifs pour essuyer une larme. Drôle de célébration, pensai-je. Drôle de peuple. Impossible de se réjouir sans tomber dans la dépression.

Pour clôturer le programme artistique, une jeune fille mélancolique lut un texte intitulé *Netzach Israël* (l'Éternité d'Israël) « démontrant » que, malgré nos ennemis, et en dépit de leurs triomphes, le peuple juif vivrait et survivrait. Discours familier, d'un lyrisme facile, péniblement naïf : comme si le passé pouvait garantir l'avenir ; comme si l'éternité se mesurait en termes de victoire et de défaite. Je ne sais pourquoi, je jetai un coup d'œil sur notre invité et quelque chose en lui me fit frissonner : pâle, tendu, les lèvres serrées, il semblait faire un effort pour réprimer un cri, un hurlement ou un souvenir. Discret, je détournai le regard.

La soirée s'acheva dans le brouhaha coutumier. Les étudiants partirent à l'assaut du bar. David Karliner et moi nous dirigeâmes vers la sortie. Tout en marchant, je lui demandai ce qu'il pensait de l'éternité du peuple juif. Il prit un long moment avant de répondre : « Parlons d'autre chose, voulez-vous ? » Notre première rencontre, la voilà.

Je l'avais déjà vu, bien sûr. Je me souviens : il avait fait son apparition parmi nous par une journée pluvieuse d'automne, et nul ne se doutait qu'un mystère l'habitait.

La quarantaine. Élancé, maigre, presque maladif. Collier soigné. Front dégagé. Visage angulaire. Yeux bruns, chaleureux, teintés d'inquiétude. Premières impressions : favorables. Saura-t-il remplacer le malheureux Robert Planchet ? Se montrera-t-il à la hauteur ? Sûrement non. On peut succéder à un Robert Planchet, mais non le remplacer. Les civilisations anciennes, nul ne sait les évoquer comme lui. Je me corrige : nul ne savait. C'est ce que pauvre Planchet n'est plus des nôtres. Depuis sa dépression nerveuse, il ne quitte plus sa chambre de clinique où il évolue, enfermé, dans un passé ancien et oublié. Nous regardions donc le successeur avec quelque méfiance et un peu de pitié.

Le doyen nous le présenta : discours interminable entrecoupé de toussotements. Références, publications scientifiques, titres et honneurs : une année à Berkeley, trois à Harvard, deux fois boursier de la Fondation Rockefeller. Le vieux Donald Blackstone, dans une lettre de recommandation manuscrite de quatre pages, n'hésitait pas à le désigner comme disciple fidèle. Ses travaux sur l'idée de la mort chez les Étrusques font date. Nous sommes fiers, disait notre brave doyen, pompeux comme d'habitude, nous sommes fiers que le professeur David Karliner ait consenti à, ait accepté de, et nous lui disons que...

Nous applaudîmes avec la courtoisie requise tout en pensant à autre chose.

Karliner se leva et nous remercia de notre confiance. Son air timide, sa gaucherie, sa voix posée nous mirent à l'aise : il ne représentait aucun danger. Nous l'applaudîmes aussi, pensant toujours à autre chose. C'est fou comme il est facile d'applaudir quand la pensée est ailleurs.

Ce que nous ignorions, c'était que le nouveau membre de notre Faculté était ailleurs, lui aussi : il était toujours ailleurs.

Austère, réservé, parlant peu et ne s'emportant jamais, David Karliner se tenait à l'écart des activités courantes de la Faculté. Les intrigues, les querelles, il ne s'y mêlait guère. Dépourvu d'ambition, il ne briguait pas le pouvoir. Il

48

demanda — et obtint — le droit de s'abstenir des réunions de comité où l'on discutait nominations et promotions : « Je ne pourrai jamais voter contre ; et puis, de toute façon, je n'y comprends rien. » Les uns disaient : pas bête, le bonhomme ; il ne veut pas se faire d'ennemis. D'autres répliquaient : oui, mais il n'aura pas beaucoup d'amis, celui-là. Devinait-il ce que l'on disait de lui ? Les conversations, il les écoutait sans y participer. Lorsqu'on lui demandait son avis sur un sujet quelconque — sur le temps qu'il faisait ou sur le dernier discours du dernier candidat présidentiel —, il haussait les épaules : « Désolé, vraiment. Tout cela me dépasse. Par sa nouveauté. Je suis en retard de quelque deux mille ans, comprenez-vous. En revanche, si la tradition étrusque vous intéresse, c'est différent : je suis prêt à vous en parler jusqu'à minuit. »

Généreux, curieux, l'esprit à l'affût, il était l'exemple même du professeur populaire. Les étudiants le portaient aux nues ; ses cours, il les faisait — comment dire — à guichets fermés. Le secret de son succès ? Les uns disaient : il sait écouter. D'autres disaient : il sait s'exprimer. D'autres encore ajoutaient : il nous fait rire et pleurer en même temps.

Quant à ses pairs, il les voyait rarement. Pourtant, nous cherchions à nous l'attacher. Il repoussait nos avances sans pour autant nous offenser. Végétarien, il décourageait les invitations à dîner : « Je m'en voudrais d'embarrasser la maîtresse de maison. » Il préférait arriver pour le dessert et le café. On finit par s'habituer à ses lubies. Notre campus est connu pour sa tolérance : nous respectons la folie des uns et l'absence de folie des autres. David Karliner tenait à s'entourer de mystère ? Il était libre, après tout.

Or, mystère il y avait : nul doute là-dessus n'était possible Il vivait seul dans un studio que personne ne réussit à visiter :

« Trop de désordre ; pas beau à voir », expliquait-il avec un air mi-dégoûté mi-moqueur.

Avait-il une famille quelque part ? Si oui, il ne s'y référait guère. Tout ce que nous savions se trouvait dans son curriculum vitae : il venait de loin, d'un village nommé Miropol, quelque part en Europe orientale ; études à Oxford ; depuis 1951, aux États-Unis.

En ma qualité d'ancien, j'essayai à plusieurs reprises de lui offrir mon concours pour le guider dans le labyrinthe de notre petite société, mais il le refusa avec beaucoup de fermeté et d'amabilité.

— Pourquoi ? lui demandai-je un jour. Nous sommes juifs, vous et moi. Nous devrions nous entraider, pas vrai ?

— D'où tenez-vous que je suis juif ?

— Avec un nom comme le vôtre...

— Les noms, fit-il, désabusé. Ah oui, les noms. Ils ne signifient plus rien de nos jours. On ne reconnaît plus un Juif à son nom.

— Mais à quoi le reconnaît-on ?

— A ses yeux.

Et, après un silence, avec un petit rire :

— Voilà que je tombe dans le romantisme, pardonnez-moi.

— Les yeux, dis-je. Pendant la guerre, en Pologne, en Hongrie, les mouchards se promenaient dans les rues des grandes villes et regardaient les passants dans les yeux. Beaucoup de Juifs ont été trahis par leurs yeux.

Une lueur étrange s'alluma dans son regard qu'il détourna aussitôt :

— Je préfère parler de mes chers Étrusques, dit-il.

Dommage, me dis-je. Un Juif honteux, lui. Sans doute a-t-il connu épreuves et tortures dans son pays d'origine ; maintenant il cherche un refuge, un peu de paix. Comment le juger ?

de quel droit le condamner ? Je m'efforçai de le comprendre sans l'approuver. Je pensai seulement que c'était dommage.

Vers la mi-novembre, le campus tout entier s'entassa dans la salle des cérémonies pour écouter la première d'une série de conférences sur le thème : « Une journée dans la vie d'une famille étrusque. » Je n'ai jamais entendu de communication plus brillante ni plus émouvante.

Connaissant son sujet à fond, David Karliner fit appel aux théories et aux hypothèses autant qu'aux découvertes scientifiques pour composer une œuvre d'art : il fit revivre devant nous cette famille, habitant l'une des douze républiques étrusques, occupée à bâtir un royaume souterrain et indestructible. Certes, la majeure partie de cette culture doit être considérée perdue à tout jamais ; certes, l'histoire de ce peuple conservera son mystère sombre et meurtrier ; certes, la langue elle-même n'a pas encore été décodée. Et après ? Grâce à ses dons intuitifs, à son imagination ailée et naturellement grâce à ses vastes connaissances en la matière, Karliner réussit magistralement à nous faire rencontrer cette famille et l'intégrer à notre existence. Ces enfants qui jouent au soleil, ces mendiants qui leur sourient ; ces femmes qui lavent le linge dans le ruisseau, pas loin du Tibre ; cet homme qui répare une porte cochère et cette femme qui lui apporte son repas : l'orateur brossait un portrait précis et net, ne négligeant aucun détail, n'oubliant aucun éclairage : cette famille qui forgeait son avenir dans la joie, nous la voyions ; et nous y participions. En fin d'après-midi, sous un ciel rougeoyant, le père enseignait à ses enfants comment s'insérer dans la pensée d'autrui, comment confier aux morts l'histoire de leur vie. Paisible, la famille connaissait le bonheur avant de le voir brisé, piétiné, réduit en cendres. L'ennemi voisin se mit à piller, à saccager, à massacrer : tous les vivants furent passés

51

par l'épée, leurs biens anéantis, leurs terres confisquées, leurs trésors dispersés, leur culture et leur langue effacées. Et nul ne sut, nul ne sait pourquoi la catastrophe eut lieu. Mais nous imaginons, dit le conférencier, nous imaginons que les dernières victimes furent un homme et une femme qui, sans se parler, ou peut-être en se parlant, cherchaient à comprendre.

David Karliner fixa son regard sur l'auditoire qui, envoûté, n'osait pas respirer. Pour la première fois dans les annales de notre université, un orateur fut salué par un tel silence.

— Des questions ? fit le doyen en toussotant. Si vous en avez, le professeur Karliner sera... sera heureux d'y répondre...

Un mouvement d'irritation parcourut la salle. Il n'aurait pas dû nous ramener dans le présent, le doyen. Mais les règles sont sacrées et strictes. Parler ne suffit pas ; encore faut-il répondre, expliquer, commenter, réfuter.

— Pas... de questions ? fit le doyen.

Je félicitai en silence nos étudiants et leurs maîtres : merci, amis. La voix de Julie Goldmann me tira de ma rêverie :

— J'aimerais savoir...

Elle s'interrompit pour marquer l'effet. Six cents yeux dardèrent sur elle. Un long silence suivit. Julie sentit l'hostilité générale et sembla la savourer. Promenant son regard parmi nous, comme pour nous narguer, elle reprit de sa voix épaissie par le tabac :

— J'aimerais vraiment savoir ce que le professeur Karliner pense de l'éternité du peuple étrusque.

Je me sentis rougir : elle avait dû entendre notre conversation de l'autre soir. L'auditoire protesta en bougonnant délicatement, comme il sied à un public académique. Karliner, seul, resta impassible :

— Votre question, chère collègue, dit-il de sa voix posée, n'est pas nouvelle. Le couple dont je viens de vous tracer le destin se l'était posée déjà avant de mourir.

L'ÉTERNITÉ ÉTRUSQUE

Là, les applaudissements fusèrent, libérés, comme une récompense. Et Julie elle-même y joignit les siens.

Julie, magnifique et pitoyable. Méprisante, attrayante, révoltante : cela dépendait de son humeur du moment. Capricieuse et obstinée : elle défendait un point de vue des heures durant et l'abandonnait brusquement sans expliquer pourquoi. Drôle de créature, Julie. Tour à tour admirée et haïe par les mêmes personnes et probablement pour les mêmes raisons. Trop féministe un jour, pas assez le lendemain, elle jonglait avec maximes et citations de Kant et de Schopenhauer, congédiait ses interlocuteurs avec un haussement d'épaules : elle voulait choquer et y arrivait. Supérieurement intelligente, cette enfant de riches qui s'habillait en pauvre, cette déesse de sagesse qui jouait la diablesse révoltée, ou vice versa, terrorisait le campus. Petite, cheveux bruns coupés court, elle n'était pas dénuée de charme, ni même de finesse ; mais malheur à quiconque lui en faisait la remarque. Cinglante, elle trouvait toujours le mot juste pour se débarrasser des flatteurs.

Moi, je m'entendais bien avec elle. Au début, elle avait essayé de m'exaspérer avec ses théories sur des questions que je connaissais un peu mieux qu'elle ; professeur d'études juives, j'étais responsable à ses yeux de l'histoire juive tout entière. Aussi me reprochait-elle l'injustice dont Esaü et Ismaël sont victimes dans la Bible ; et le meurtre des hommes de Sichem par les fils de Jacob ; et, en général, notre attitude « monstrueuse » envers les femmes. Elle s'emportait, et moi je souriais. Plus elle hurlait, plus je devenais calme. Au bout d'un certain temps, elle renonça. Elle se mit à me parler sans crier. Dès lors, je pus l'inviter chez nous. Miracle : elle plut à ma femme : « Elle est franche et elle sait ce qu'elle veut, bravo. »

53

Peu de collègues le savaient, mais Julie se passionnait pour les sciences occultes. Souvent, elle venait m'interroger sur la mystique juive ; en quoi est-elle différente du mysticisme oriental ? Shimon bar Yohai, Itzhak Lurie, Hayim Vital, le Besht : Julie s'intéressait à leur enseignement, à leurs légendes. Elle prétendait les « voir » dans ses songes. Elle « voyait » tous les grands hommes — et toutes les grandes femmes — de l'histoire. Elle leur racontait ce qu'elle faisait et me racontait ce qu'ils faisaient, eux. Y croyait-elle vraiment ? Comment le savoir. La mort n'existe pas, disait-elle. Les morts ne sont pas morts mais invisibles. Certaines personnes possèdent des pouvoirs et sont capables de voir l'invisible... Se moquait-elle de moi ? Possible. Dans ce cas, j'étais fou de la croire sincère. Et après ? Elle me divertissait.

Un jour, elle arriva tout excitée :

— Tu sais quoi ? J'ai arrangé une rencontre fantastique ! Entre Jésus et Mohammed ! Quelle scène, si tu les voyais !

— Et Moïse ? dis-je.

— Je ne comprends pas.

— Tu aurais dû le leur présenter.

— Bonne idée, dit-elle, songeuse. La prochaine fois...

Je sus réprimer mon envie de rire ; elle aussi peut-être.

Heureusement, elle réussissait à donner ses cours sans l'aide des revenants. Elle enseignait l'histoire de l'art, ou plus précisément : l'histoire de l'anti-art, ou peut-être : l'anti-histoire de l'art, que sais-je.

Elle devait approcher la trentaine. On la disait cérébrale, on la croyait frigide ou nymphomane. Les célibataires la fuyaient tout en lui courant après ; les hommes mariés faisaient le contraire.

On lui supposait maintes liaisons, mais moi, je ne lui en connus qu'une seule : David Karliner.

Les mariages, c'est Dieu qui les noue, à en croire les Anciens. C'est son occupation préférée. Provoquer rencontres et liens impossibles, voire impensables, leur conférer durée et mystère : il sait comment s'y prendre. Lui seul sait. Nous, mortels et aveugles, ne sommes que des exécutants. Comment Julie et David se reconnurent-ils l'un dans l'autre ? qui fit le premier pas ? Je n'en sais rien. Je sais seulement qu'un beau matin, Julie vint s'installer dans son studio à lui, sans abandonner le sien pour autant. Qui en avait eu l'idée ? Elle, sans doute. Je voyais mal David Karliner en amoureux ou en amant. Il avait dû la laisser faire.

La liaison alimenta bien entendu la conversation du campus pendant des jours et des nuits. Il y avait les sceptiques, les envieux, les mauvaises langues, comme partout dans le monde depuis que le monde est monde. On les épiait, on les entourait de rumeurs : « Il paraît que le bonhomme est marié ; que sa famille le recherche en Asie... Il paraît que Julie a été mêlée à un scandale en Californie, et aussi que, et surtout que... » Mais ces bruits ne réussirent point à les séparer. Se doutaient-ils de ce que l'on racontait à leur sujet ? Si oui, ils ne s'en soucièrent guère. Ils continuèrent à donner leurs cours, à se promener dans le parc de la Faculté, à vivre leur vie, à vivre leur rêve : le jugement d'autrui ne les concernait pas.

Alors on se mit à parier : combien de temps leur idylle durera-t-elle ? pour quand la première querelle ? par qui ou par quoi sera-t-elle provoquée ? qui cédera, qui triomphera ? Et surtout : qui des deux changera l'autre ?

Cette dernière question est facile. Peut-on se fier aux apparences ? Julie paraissait transformée. Elle ne fut ni plus ni moins heureuse ou malheureuse, mais autrement heureuse et autrement malheureuse. Moins explosive, plus du tout provocante, elle détournait souvent le regard comme pour cacher une blessure secrète. Les étudiants la trouvèrent plus belle —

plus élégante — et surtout plus humaine, plus touchante. Quant aux enseignants, ils la voyaient rarement ; elle avait cessé de participer aux débats et aux réunions des comités. Ainsi, grâce à David Karliner, nos orateurs et conférenciers pouvaient affronter leurs auditoires sans grand risque.

En revanche, ils se mirent à fréquenter notre maison plus souvent. David jouait avec les enfants, Julie leur chantait des comptines. Ils venaient sans s'annoncer pour un brin de conversation, prendre un café ou écouter un disque ; chez nous, ils ne se sentaient pas menacés.

Et pourtant. Ma femme et moi les observions ; nous cherchions à comprendre. Que s'était-il passé au juste entre eux ? comment David s'était-il arrangé pour apprivoiser notre Pasionaria à nous ? J'interrogeai David : il fronça les sourcils et changea de sujet. J'interrogeai Julie qui me lança un regard inquiet ; elle aussi changea de sujet. Comptaient-ils se marier ? Mieux valait ne pas m'immiscer dans leurs affaires. Trop susceptibles, mes amis.

L'année scolaire tirait à sa fin. En pleine période d'examens, les étudiants nous accaparaient. Entretiens, discussions, plaintes : travaux trop durs, trop compliqués. Comment résister aux larmes d'une jeune étudiante ? Sa dissertation était décevante ; je lui permis de la récrire. Vous l'aurez, votre diplôme, mademoiselle ; cessez donc de pleurer, allez. Au suivant ! Un étudiant avait mal compris les questions, il aimerait recommencer.

Dehors, il faisait beau. Rien n'est aussi spectaculaire que l'éveil d'un campus émergeant de l'hiver rude de la Nouvelle-Angleterre. On ne patauge plus dans la neige, on marche normalement, on regarde autour de soi. Le printemps redessina les arbres, les routes et jusqu'aux nuages.

Malgré l'excitation qui gagnait notre communauté, David

trouva le moyen d'aller visiter un ami malade à Boston. Julie vint passer la soirée avec nous. Conversation amicale, sereine, sans les éclats et la fureur auxquels elle nous avait habitués autrefois. Nous parlâmes du dernier roman d'Untel, de la situation en Israël, de la guerre et de la paix. Et les sciences occultes ? Julie passa outre. Je ne m'étais pas rendu compte que sa métamorphose était si entière. Je ne pus m'empêcher de lui en faire la remarque :

— Tout le monde change, dit-elle.

Elle se rebiffa, comme pour me mettre en garde : attention, je suis encore capable de griffer, de blesser. Nos yeux se croisèrent et les siens me brûlèrent. David, je le sentis, avait dû la mettre en contact avec une vérité dure et grave et lourde à porter. Mais laquelle ? Au risque de l'offusquer, je me préparais à lui poser la question mais elle me devança :

— Que sais-tu de David ?

— Rien, Julie. Presque rien.

— Sais-tu qu'il a vécu la guerre au loin, en Europe ?

— Je m'en doutais.

— Où exactement ? Le sais-tu ?

— Non, mais je peux l'imaginer.

— Tu te trompes. Tu ne peux pas l'imaginer. Nul ne le peut. Il a vécu *de l'autre côté*, comprends-tu ? *De l'autre côté*.

Son œil clair était traversé de lueurs étranges. Elle entrouvrit ses lèvres mais se ravisa. Je lui en sus gré. Je n'aime pas les histoires qui font pleurer ; les vraies histoires font peur et ne se racontent pas. Mieux valait les taire. Et se taire.

— Écoute, dit Julie dans un souffle.

Elle se leva de son fauteuil et se mit à marcher dans la pièce en secouant la tête, comme si elle disait non à quelqu'un d'invisible. Puis elle s'arrêta devant moi, et son visage soudain tendu se rapprocha du mien :

— Tu ne peux pas imaginer, dit-elle. Tu comprends ce que

je te dis ? Ce que moi, je sais, toi, tu ne peux même pas
l'imaginer.

Je ne l'avais jamais vue ainsi. Fiévreuse, possédée, déli-
rante. Sur le seuil de la porte entrouverte, ma femme resta
immobile, n'osant faire du bruit.

— Écoute, dit Julie.

J'obéis. Ma femme aussi. De tout notre être, nous écoutâ-
mes. L'irruption des ténèbres dans sa vie. La découverte du
mal absolu. La puissance démesurée des tueurs, le silence
mystérieux des victimes. Peut-on vivre l'expérience de la nuit
après la nuit ? Julie jura d'essayer. Elle se mit à lire tous les
ouvrages spécialisés qu'elle pouvait obtenir : romans et documents, albums et études, mémoires et poèmes. Plus elle lisait,
plus elle se sentait assoiffée d'apprendre encore et encore.
Risquant sa foi ou sa raison, elle s'enfonça dans l'univers
maudit où elle comptait rencontrer David Karliner. Elle l'y
trouva, mais il n'était pas seul. Des foules silencieuses
faisaient cercle autour de lui, comme pour le protéger. Elle lui
adressait des signes, mais il ne pouvait la voir. Elle lui criait
son nom, mais il ne pouvait l'entendre. Alors, un soir, elle
vint frapper à sa porte. « J'ai une nouvelle grave à vous
annoncer », dit-elle, haletante. David l'invita en souriant :
« Entrez donc. » Elle lui donna le temps de fermer la porte,
puis s'écria : « Les morts qui vous suivent, les morts que vous
poursuivez, eh bien, ils ne sont pas morts ! Comprenez-vous,
David ? Vos parents et vos amis, vos frères et vos camarades,
tous ceux que les tueurs ont cru pouvoir assassiner, ils sont
invisibles, c'est tout ! Invisibles mais pas morts ! Aucun d'eux
n'est mort, puisque moi je les vois ! Voilà pourquoi je suis
venue chez vous ! Pour vous consoler ! » Pendant un temps
interminable, Julie répéta les mêmes paroles, les mêmes cris,
l'implorant de la croire, de renoncer à la souffrance, de
s'accrocher à son bras et de la suivre vers le rire et le bonheur.
David l'écouta sans broncher. Ce ne fut que lorsqu'elle

s'interrompit qu'il allongea son bras pour lui caresser le visage. « Il ne faut pas, lui dit-il doucement, il ne faut surtout pas pleurer. » Ce fut tout. Elle essaya de le faire parler de son passé, il refusa. Elle insista ; il refusa encore. Elle s'en alla, revint le lendemain. Elle persévéra pour rien : David Karliner ne souleva jamais le voile. Alors Julie eut une idée : « Les Étrusques, dit-elle. Parlez-moi des Étrusques. » Bien sûr, David tomba dans le piège. En lui décrivant la vie et la mort des Étrusques, il révélait sa vie à lui, sa mort à lui, là-bas. La haine irrationnelle des assaillants romains, la stupeur des premières victimes. Le sang qui coulait dans les caves comme pour les remplir, les cris qui s'élevaient jusqu'au ciel comme pour le fendre. Pourquoi tant de cruauté chez les Romains ? Pourquoi tant de résignation chez les Étrusques ? Inexplicables les uns comme les autres. Julie voulut savoir pourquoi il n'y avait pas eu de survivants parmi les Étrusques.

— Il y en avait peut-être, dit David.

— Mais alors ?

— Au bout d'une semaine, d'un mois ou d'une année, les rescapés se laissèrent emporter par la mort. Par désespoir. Par dégoût peut-être. Ils ne tenaient pas à vivre dans un monde dominé par leurs bourreaux.

David se permit une seule fois de lever l'interdit. Julie et lui vivaient déjà ensemble et semblaient négliger enfin le thème étrusque. Leurs rapports s'étaient stabilisés. Désormais, ils pouvaient s'aimer sans angoisse, selon le rythme de leurs corps. Une nuit, au lit, Julie remarqua à voix basse :

— Je ne comprendrai jamais.

— Qu'est-ce que tu ne comprendras jamais ? demanda David.

— Le pouvoir du mal.

— Le mal te préoccupe beaucoup, n'est-ce pas ?

— Oui. Beaucoup. Pas toi ?

— Non. Pas moi. Moi, c'est le bien qui me préoccupe.

Et, après un silence :

— Moi, c'est le bien que je ne comprendrai jamais.

Julie ne répondit rien. Elle sentit que David allait enfin se livrer un peu. Pourquoi maintenant et non hier ou la semaine prochaine ? Elle n'eût pu le dire. Un certain mot prononcé par elle — ou lui ? Une association d'images ? un souvenir attrapé au vol ? Comment savoir. Julie serra les dents et attendit.

Les bras croisés sous la nuque, les yeux écarquillés, David Karliner évoqua brièvement, presque en hâte, les terreurs qui l'habitaient toujours. Mais, au lieu de décrire les tortionnaires, il raconta quelques instants, quelques gestes de quelques-unes de leurs victimes. Un camarade, grand et décharné, se promenait la nuit parmi les « musulmans » sélectionnés et leur chantait des airs de leur pays. Un jour, il déclara : « Je n'ai plus la force de chanter, je m'en vais… » Un nain muet avait l'habitude, malgré la faim qui le tenaillait, d'offrir tous les matins une croûte de pain à un compagnon plus infortuné que lui. Torturé par les médecins de Mengele, il ne cria pas ; il ne fit que secouer la tête pour manifester sa désapprobation… Un rabbin refusa d'avaler la viande « impure », préférant la mort au péché. Il mourut… Un autre rabbin composa une prière contre le jugement divin ; il mourut aussi… Un père se sacrifia pour sauver le fils d'un ami… Un prophète sans âge et sans nom jura de survivre pour témoigner… Un adolescent chétif, pour ménager un vieillard résigné, accepta les vingt-cinq coups de fouet à sa place… « Tous les jours, Julie, je me disais : je mourrai demain ; et chaque fois c'était vrai… Mais tout en nous imposant sa Loi, l'ennemi ne remporta pas de victoire définitive. Dans son univers d'horreur froide, d'humiliation totale et abjecte, la solidarité humaine demeurait possible. Et la compassion. Et la bonté. Et l'abnégation de soi. Tu vois, Julie, il y avait des êtres humains là-bas, même là-bas. Et cela, je ne le comprendrai jamais… » Il parlait, parlait tout bas, d'une voix monocorde, un peu distante. Et

Julie, muette de frayeur, muette d'amour, s'efforçait de ne pas pleurer, de sourire comme David Karliner souriait aux images évanescentes que son regard réclamait. La souffrance et la cruauté, la douleur et l'agonie, elle savait s'en accommoder. Mais contre la bonté, rare mais réelle, contre la pauvre victoire des mourants un instant avant de tomber, Julie se reconnaissait impuissante. Elle ne comprenait pas non plus. Et elle se rendit compte que jamais elle ne comprendrait David Karliner : elle l'aimerait mais ne le comprendrait pas. Et, pour la première fois depuis longtemps, elle sentit les larmes lui brûler le visage comme pour le marquer à jamais.

Puis, se ressaisissant, David Karliner s'interrompit au milieu d'une phrase. Regretta-t-il d'avoir cédé, de s'être livré ? Il se renferma sur son secret, préférant, aux côtés de Julie, chanter la mémoire des hommes et des femmes, jeunes et vieux, tristes ou exaltés qui, jadis, sur une terre lointaine, près du Tibre et à l'ombre de l'ennemi romain implacable, avaient tenté de rêver et de célébrer la magie du verbe et la valeur éternelle de la mémoire.

Quant à moi, je me mis à aimer les Étrusques d'un amour passionné et violent

VI. Légendes d'aujourd'hui

On l'appelait... Comment l'avait-on appelé ? Je l'ai oublié. Il ne faut pas m'en vouloir. Tout d'abord, comprenez-moi, nous n'étions pas intimes : nous nous croisions dans l'escalier ou dans la rue. Et puis, en se présentant à vous, il vous sortait toujours une identité nouvelle. Tous les noms et prénoms y passaient. D'Adam à David, d'Abraham à Moïse. Ben Hayim et Rabinowicz, Lengyel et Levy, Vilner et Soroka.

Vous lui demandiez comment il se portait, et il hochait la tête, tristement, et disait : « Maurice Cohen se porte bien, Roger Zaslawski se porte merveilleusement bien, merci. »

Il habitait une mansarde dont les lucarnes donnaient sur le ciel qu'il contemplait des heures et des heures durant, en murmurant des noms familiers et bizarres, arrachés à des histoires sauvages et belles que notre société en perdition s'efforce d'oublier.

Un soir, il m'accosta dans la rue et me pria de le suivre chez lui. Nous grimpâmes les six étages en silence, hors d'haleine. Il ouvrit la porte et me fit entrer. La pièce n'était pas meublée. Ni lit, ni table, ni chaise. Quelques étagères seulement, encombrées de papiers, de tailles et de formes diverses : feuilles blanches et jaunes, pages de cahiers et bouts de carton, amoncelés par terre. « Regarde, me dit-il, regarde bien. » Des noms partout, des noms venant de partout. « Regarde bien, me dit-il. Je mourrai avant d'en venir à bout.

Il y en a trop, comprends-tu. Tu ne voudrais pas m'aider, dis ? — Volontiers, répondis-je, ému. Que souhaiteriez-vous me voir faire ? — Fais comme moi. Occupe-toi de ces noms. — D'accord, dis-je. A condition que vous me dévoiliez le vôtre. » Son visage osseux s'assombrit : « Je regrette, me souffla-t-il (et ses yeux acquirent une intensité folle). Je l'ai égaré quelque part. Je sais qu'il traîne là, mais je l'ai perdu de vue. » Il se mit à pleurer doucement. Je le rassurai : « Ne vous en faites pas, vieillard. Il vous reviendra, votre nom. Puisqu'il se trouve ici, nous finirons bien par le dénicher, je vous le promets. »

Consolé, il s'endormit. Vint la nuit. Je m'endormis aussi. En me réveillant, à l'aube, je me découvris seul dans sa tombe.

*

J'étais chrétienne, dit Stéphanie. J'avais l'air d'une chrétienne. Et des documents qui le prouvaient. Tout paraissait aller bien.

Je faisais le ménage chez la veuve du Dr Kopecky et chez son voisin, le directeur de l'école communale, Boleslav Zorinsky ; ils ne savaient pas que je n'étais pas chrétienne.

Ma fille de sept ans, Reizele, se trouvait en sécurité. Des paysans charitables l'avaient adoptée pour lui épargner le ghetto. Ils la traitaient comme si elle était leur fille, leur trésor, leur joie. J'étais tranquille à son sujet. J'étais bête.

Le même jour, deux dénonciations. Deux arrestations. Au commissariat, je vois ma petite Reizele qui m'avait quittée deux ans plus tôt. Ses yeux rougis de fatigue, ses lèvres tremblantes de peur : je ne les oublierai jamais.

« C'est ta fille ? demande le policier. — Non, dis-je. Ce n'est pas ma fille. — Tu mens, dit le policier. Nous savons que tu es sa mère. Tu n'as pas honte de renier ta fille ? — Je ne

suis pas sa mère, dis-je. Elle ne me ressemble même pas.
Voyez son petit nez retroussé, voyez son front dégagé. Elle
n'a pas l'air juif, elle. Gardez-moi, faites de moi ce que bon
vous semble, mais laissez-la en paix. »

Reizele ne me quittait pas des yeux, dit Stéphanie. Et moi,
dans mon cœur, je l'implorais : Ne te trahis pas, ma petite
fille, ne nous trahis pas ; fais comme si je n'étais pas ta mère,
comme si je ne t'aimais pas plus que ma vie.

« Ta mère, dit le policier, elle souffre. Tu ne vas pas la
laisser souffrir comme ça, hein ? Va, embrasse-la, cours, vas-
y, petite Juive, aie pitié de ta mère. »

Espérance vaine, prière vaine, dit Stéphanie. Et ma fille de
s'écrier : « N'aie pas honte de moi, maman. »

*

Pour tous ceux qui l'aimaient et qu'elle aimait, Rachel
passait pour la plus grande danseuse du monde. Par sa grâce
et son harmonie, elle vous attirait jusqu'au sommet de son art
et vous faisait danser jusqu'à l'ivresse. Puis, la vie s'arrêta.

« Danse, lui ordonnèrent les tueurs, danse pour nous. »
Elle sembla ne pas les entendre. Ils la battirent, lui arrachè-
rent les cheveux. Elle serra les dents. « Danse pour nous,
danse pour eux », hurlèrent les tueurs indiquant d'un grand
geste les habitants apeurés du ghetto. Immobile, Rachel fixa
le vide et ne dit rien. La scène dura une heure ou deux ou
cinq.

Et, pareille aux prophètes de jadis, Rachel monta au ciel
pour ne pas voir la terre.

*

Ce jour-là, le fou prit congé de sa folie. Il le regretta
aussitôt car il frissonnait de froid. « Reviens », gémissait-il.

En vain. L'ayant abandonné, sa folie avait trouvé refuge ailleurs, chez un autre homme qui, est-ce bête, en fut plutôt mécontent.

Malheureux, le fou se mit à la recherche de sa folie. Il fouilla partout. Sans résultat. Il l'appela dans les villes et les forêts. Rien, toujours rien. Au bord du désespoir, il allait renoncer quand, devant un monument aux morts sans sépulture, il rencontra un jongleur qui lui cligna de l'œil. « Pourquoi te donnes-tu en spectacle ? lui demanda-t-il. Tu ne vois pas que personne ne te regarde ? — Je n'ai plus besoin que l'on me regarde », dit le jongleur.

Il disparut, un peu moins fou qu'avant.

*

On vint informer le Sage que sa communauté était en danger. Assiégée par un ennemi redoutable, elle se préparait à subir la mort par le glaive et le feu. « Que voulez-vous de moi ? demanda le Sage. — Faites usage de vos pouvoirs, dit le messager. Récitez vos prières, appelez-en à vos ancêtres, faites qu'ils intercèdent pour nous là-haut ! » Le Sage prit sa tête entre les mains et se mit à méditer. Sa pensée le quitta et il se sentit amoindri, en disgrâce : « Que veux-Tu de moi ? interrogea-t-il le Seigneur. Dis-moi ce que Tu attends de moi. » Comme Dieu se taisait, le Sage dit au messager : « Allons, allons, mon bon, allons rejoindre la communauté. — Et la volonté du ciel sera faite ? dit le messager. — Je l'espère, dit le Sage. Je l'espère. »

VII. Célébration de l'amitié

« Qu'est-ce qu'un ami ? » C'est Gavriel qui, dans *les Portes de la forêt*, s'interroge à voix haute. Et il répond : « Plus qu'un frère, plus qu'un père, c'est autre chose : un compagnon de route ; avec lui, on reconstruit cette route et on tente de conquérir l'impossible, quitte à le sacrifier plus tard. L'expérience de l'amitié marque une vie aussi profondément — plus profondément — que celle de l'amour. L'amour risque de dégénérer en obsession, l'amitié ne signifie jamais autre chose que partage. L'éveil du désir, la naissance d'une vision, d'une terreur, c'est à l'ami qu'on en fait part ; les premières angoisses devant la fuite du soleil, devant l'absence d'ordre et de justice, c'est à l'ami qu'on les communique : l'âme est-elle immortelle et, si oui, pourquoi cette peur qui nous mine ? Si Dieu existe, comment prétendre à la liberté puisqu'il en est l'origine et l'aboutissement ? La mort, c'est quoi au juste ? Simple fermeture de parenthèses ? Et la vie ? Dans la bouche du philosophe, ces questions rendent souvent un son faux, mais posées lors de l'adolescence, de l'amitié, elles provoquent un changement d'être : le regard se met à brûler, le geste quotidien tend vers son propre dépassement. Ce que c'est qu'un ami ? C'est celui qui, pour la première fois, te rend conscient de ta solitude et de la sienne, et t'aide à t'en sortir pour que, à ton tour, tu l'aides à s'en sortir. Grâce à lui, tu peux te taire sans honte, tu t'ouvres sans te diminuer... »

Gavriel est mon ami et il parle pour moi. Cela vaut pour tous mes personnages imaginaires : ils chantent l'amitié ; certains en font un véritable culte. Parfois je me dis que je les ai créés uniquement parce que j'avais besoin de foi en l'amitié sinon de leur amitié elle-même. Soyons franc : j'avais besoin d'eux comme amis.

Enfant, je me savais tellement faible, presque fautif, qu'il m'arrivait de dépenser mon argent de poche pour me faire un nouvel ami, pour retenir un camarade.

En cela, je suivais le conseil du Sage talmudique Rabbi Yeoshoua, fils de Prakhia qui, dans les *Paroles de nos pères,* invite l'homme à *se nommer* un Maître et à *s'acheter* un ami : j'y attachais, moi, une signification simple, littérale. Des friandises et des gâteaux que j'emportais à l'école — ma mère craignait toujours que je ne m'évanouisse de faim — rien ne me restait ; je les distribuais parmi les élèves : je convoitais l'attention des surdoués, la protection des costauds et l'affection de tous. Je redoutais surtout de me retrouver un beau matin exclu, de l'autre bord, renié par la bande : seul en face d'un groupe, d'une collectivité.

Comme mes amis étaient pauvres — moi aussi je l'étais, mais je ne m'en rendais pas compte —, je me sentais coupable à leur égard. Je ne savais comment me faire pardonner ce que je croyais être ma situation privilégiée. Tout ce que je recevais, je le leur aurais offert comme moyen d'expiation. A moi seul, j'espérais effacer les frontières sociales, les injustices qui en découlent ; je brûlais de corriger les erreurs de la création, de tout recommencer. Je me privais du superflu pour satisfaire les nécessiteux. Je venais les poches pleines, je rentrais les mains vides.

Je me souviens de mes amis d'enfance comme je me souviens de mon enfance ; je les regarde et je me regarde, et une tristesse familière m'envahit : où sont-ils ? pourquoi nous a-t-on séparés ? en quoi ai-je mérité de leur survivre ? C'est que, pour la plupart, ils ne sont plus de ce monde.

Je les évoque et je leur parle : Vous vous souvenez ? Nos complots, nos rêves de jadis me semblent plus proches que les événements d'aujourd'hui. Nos précepteurs qui nous terrorisaient tant ils étaient stricts, nos larmes réprimées devant les textes indéchiffrables, nos regards angoissés ou extasiés devant un mendiant inconnu qui savait raconter des histoires insolites, merveilleuses : comment les oublier ? Nos premières promenades en forêt le samedi après-midi, nos préparatifs de Pâque, nos jeux de Pourim : c'était hier.

C'était quoi, l'amitié entre nous ? Nous étions encore petits, nous ne connaissions guère le sens redoutable et stimulant de ce mot. Nous étions des camarades, c'est tout. Nous apprenions ensemble à lire, à écrire, à prier ; nous nous amusions à cueillir des fruits au printemps, à compter les nuages, à tromper la vigilance des tuteurs ou des surveillants à la synagogue. Certes, un mot méchant, un geste brusque me faisaient sangloter de dépit, mais le lendemain j'oubliais tout. Et nous recommencions.

Ne concluons pas pour autant que, pour les enfants, l'amitié n'existe pas, ou qu'elle ne compte pas. Ils en ont le même besoin que les adultes. Mais, pour eux, l'amitié prend une signification pratique, immédiate : tu me donnes ton jouet, tu es mon ami ; sinon, tu ne l'es pas. Tu viens avec moi et je suis heureux ; tu refuses et je suis malheureux. Tout est donc simple et concret. Et provisoire. L'ami se mue en ennemi pour redevenir ami en moins d'un instant. Est-ce à dire que les sentiments sont moins profonds, moins exclusifs ? Je dirais plutôt que, pour les enfants, le temps s'écoule moins vite : un instant, dans leur vie, c'est comme une année dans la nôtre.

L'amitié prend une ampleur autre, une dimension autre, quand nous entrons dans l'âge de l'adolescence : là, elle est nécessité. Sans elle, vous étouffez.

L'adolescent commence à s'interroger, c'est-à-dire qu'il s'ouvre à l'angoisse. Il se pose des questions, il exige des réponses. Présent au monde qui lui échappe, il veut pouvoir penser au moins que son cas n'est pas unique : tous les hommes sont faibles, vulnérables ; ils finissent par courber le front, se résigner ; ils finissent par entrer dans la mort comme on entre dans un regard qui nous attire. L'adolescent n'est pas individualiste ; même quand il se veut différent, il espère ressembler aux autres, c'est-à-dire : il se veut différent parce que tout le monde le veut. Les mots « moi aussi » lui font du bien : oui, « moi aussi », j'ai mal ; « moi aussi », je me heurte aux mensonges des gens ; « moi aussi », j'aime une femme qui ne m'aime pas ; « moi aussi », j'aime Dieu qui ne me répond pas. L'ami, pour l'adolescent, c'est celui qui dit « moi aussi ».

De mes amis adolescents, je garde un souvenir total. Je nous vois assis sur le banc, nous balançant d'avant en arrière, pour mieux nous concentrer pendant l'étude et la prière. Je nous entends chantonner un texte talmudique ou une litanie mystique. Je revois le fils d'un Rabbi hassidique qui me parle, dans notre jardin, d'une armée secrète pour chasser nos ennemis ; je me promène, dans la cour d'une synagogue, avec le fils d'un commerçant qui refuse de bavarder dans une langue autre que l'hébreu. Repliés sur nous-mêmes, nous n'entendons point les bruits de la guerre, au loin ; les bruits de l'ennemi qui avance vers nous. Nos parents s'intéressent à la politique, à la situation sur le front ; pas nous. Ce qui nous intéresse, nous, c'est ce qui se passe au ciel. Le présent nous laisse indifférents ; seule l'éternité nous excite.

Eh oui, à l'époque, j'étais trop jeune pour comprendre que l'éternité n'existe que par rapport au présent. Je n'étais pas assez mûr pour comprendre que c'est le poids d'éternité dans l'instant qui confère à celui-ci son mystère et son choix. Il y avait beaucoup de choses que je ne comprenais pas. C'est pourquoi j'avais besoin d'une présence amie à mes côtés : pour partager mon incompréhension.

Plus tard, grâce à l'amitié, nous nous mîmes à échafauder des projets visant des hauteurs inaccessibles. Et interdites.

Mais avant d'en parler, ouvrons une parenthèse et jetons un coup d'œil dans la Bible : quel rôle attribue-t-elle à l'amitié ? Et, tout d'abord, où la trouve-t-on ? Y a-t-elle donc sa place ? On n'en parle presque pas, en tout cas, pas explicitement. On parle de camaraderie, de solidarité, d'amour, de haine, de vengeance, de châtiment, de promesse — mais guère d'amitié. Et pourtant, elle existe : elle domine les rapports de certains personnages bibliques. Malheureusement, ceux-ci ne sont pas toujours du bon côté. Eh oui, la plupart des personnages qui font preuve de camaraderie se recrutent parmi les méchants. Les gens qui ont tenté d'ériger la tour de Babel étaient plus solidaires, plus unis que ceux qui ont suivi Moïse hors d'Égypte. Datan et Aviram, qui organisaient le complot contre Dieu et Son émissaire, étaient proches amis, alors que l'entourage de Moïse souffrait de divisions internes. Il n'y avait que Josué et Kalev fils de Jéfuné qui furent amis au temps de leur mission de reconnaissance de Canaan, et qui le demeurèrent. D'autres exemples ? Il y en a dans l'Écriture. Cela est également vrai des « frères » dont traite l'histoire biblique. Caïn et Abel, Jacob et Esaü, Joseph et ses frères : tous illustrent une vérité cruelle et intemporelle : bien que frères, des êtres humains peuvent devenir les ennemis et les victimes les uns des autres. Pas d'exception ? Si : Moïse et Aharon. Moïse apprend que son frère vient d'accéder à la dignité de Grand Prêtre et il en est heureux ; le texte le souligne. Et pourtant, on s'en souvient, son frère lui a causé pas mal de soucis, pas mal de chagrin. Peu importe : Moïse n'oublie pas mais pardonne. Aharon n'est pas seulement son frère ; il est aussi son coéquipier, son collaborateur, son ami. N'empêche que, dans l'histoire biblique, ce n'est pas ce cas qu'on cite pour illustrer l'amitié entre deux hommes. C'est David et Jonathan qu'on évoque chaque fois qu'on souhaite célébrer l'amitié désintéressée et entière. Jonathan sait que son père aime et déteste David, mais il reste son ami et le protège contre Saül. La fidélité du prince au futur roi est absolue. Les deux hommes se comprennent au moindre signe. Ils sont toujours du même bord, se battent pour la même cause. On dirait que la même âme les habite.

Adolescents, nous cherchions à imiter David et Jonathan que la vie opposait au monde des adultes avec ses intrigues et ses complots, parfois spirituels et d'autres fois mesquins. L'amitié devait nous isoler et nous rendre forts.

Nous avions besoin de force pour ce que nous espérions accomplir. De quoi s'agissait-il ? Je l'ai indiqué dans un de mes romans : avec deux amis, nous comptions précipiter le cours des événements et hâter la venue du Messie. Riez si vous en avez envie, mais, pour nous, c'était sérieux. Je dirais même que c'était urgent. Ayant étudié les splendeurs et les mystères éblouissants de la *Kabbale* sous la direction d'un Maître dont la faiblesse physique contredisait la puissance spirituelle, nous étions convaincus de trouver les mots qu'il faut, les gestes qui conviennent afin de libérer le peuple juif, et à travers lui tous les peuples, de l'exil qui emprisonnait l'humanité. Pour nous, adolescents fous et exaltés, dans notre petite ville enfouie dans les Carpates, c'était une affaire grave.

Je me souviens de mes deux amis, je m'en souviendrai toujours. Je revois leurs visages enflammés, leurs yeux au regard pénétrant. Je nous vois à la Maison d'étude, la nuit, accroupis par terre, faisant de notre projet, de notre amitié, une offrande pour Sion qu'il s'agissait de consoler. J'entends mes amis qui chuchotent les litanies de Yehuda Halévi. Je devine leur peine comme ils devinent la mienne. Je nous revois rentrant chez nous, au petit matin, en silence.

Nous nous étions juré d'aller jusqu'au bout, même si cela signifiait nous exposer au péril de la démence, de l'exil intérieur ou de la mort. Nous nous étions promis de garder notre tentative secrète. Fous, oui : nous étions fous, comme seuls certains adolescents, certains amis peuvent l'être. Il fallait être fou, en ce temps-là, pour croire qu'il était donné aux hommes de vaincre le mal, de désarmer la mort ; il fallait être fou, en ce lieu-là, pour croire qu'il suffisait de prononcer certaines formules, se mortifier le corps d'une certaine manière, d'invoquer certaines forces célestes pour que la rédemption arrive. En fin de compte, ce n'est pas le Messie qui est arrivé ; c'est l'ennemi du Messie : le tueur, l'assassin des foules, l'exterminateur des peuples. Quant à mes deux amis, je les ai vus s'en aller, l'air recueilli, comme méditant sur le sens de leur vie et de la mienne, sur l'échec de leur aventure et de la mienne, je les ai vus de dos, quittant le ghetto comme attirés par la nuit, au loin.

Je les ai suivis une semaine plus tard — je veux dire : je les ai suivis jusque dans le royaume des barbelés, mais je ne les ai plus revus : avec les autres malades de leur convoi, ils avaient été liquidés quelques heures après leur arrivée.

Depuis, je les cherche, je ne cesse de les chercher. D'autres amis sont venus enrichir mon existence, mais aucun ne leur ressemblait. En s'en allant, ils ont emporté non seulement une certaine conception de l'attente messianique, mais aussi une certaine idée de l'amitié.

Avec les amis que je me suis faits depuis mon départ de ma ville natale, nous essayons de comprendre ce qui nous arrive, et parfois même d'agir sur ce qui nous arrive, mais mes expériences mystiques d'autrefois restent enfouies dans ma mémoire.

Autrement dit : l'amitié n'a pas disparu de ma vie ; elle a seulement changé de nature, sinon de but.

En fait, elle continuait de jouer un rôle pour moi-même dans les camps. Dans l'univers de l'horreur et de l'égoïsme ultimes, c'est elle qui devenait refuge.

Bien sûr, les techniciens de la mort essayèrent de nous en détacher. Chacun pour soi, nous disaient-ils. Oubliez vos parents, vos frères, votre passé, nous répétaient-ils jour et nuit, sinon vous périrez. C'est le contraire qui se produisit. Ceux qui ne vivaient que pour eux-mêmes, que pour se nourrir, finissaient par céder aux lois de la mort, alors que les autres, ceux qui savaient pour qui vivre — un parent, un frère, un ami — réussissaient à obéir aux lois de la vie.

Cela me gêne de le dire ici — d'habitude j'aime que les choses privées soient tues, —, mais comment pourrais-je évoquer mes amis de là-bas sans mentionner le meilleur, le plus dévoué, le plus généreux d'entre eux — mon père ? Je n'ai jamais été aussi proche de lui, ni de quiconque : je ne vivais que pour lui. Et par lui. Il avait besoin de moi — et moi de lui — pour vivre un jour de plus, une heure de plus. Je le savais, lui aussi. Je le revois et, au fond de mon être, j'éprouve un déchirement sans nom : rien n'a remplacé cette amitié-là.

Mais n'est-ce pas vrai de toute amitié ? Dans la mesure où elle existe, elle continuera d'exister. Se succédant à elle-même, rien ne l'efface. Idée trop optimiste, trop idéalisée de l'homme et de ses facultés ? Je l'ai puisée dans le mouvement dont je me réclame : le hassidisme ne fait que chanter l'amitié. Aucun mouvement religieux ou autre ne met tant d'emphase et tant de poids sur l'amitié. Dans le hassidisme, l'amitié acquiert valeur de principe de base. Elle est aussi importante que la foi dans les Maîtres. Il est ordonné au disciple non seulement de suivre le Rabbi, mais aussi de s'attacher à des amis. Souvent le hassid venait chez le Rabbi non seulement pour le voir, mais aussi pour rencontrer les autres disciples. Être ensemble, voilà l'appel hassidique dans toute sa fougue, dans toute sa joie. Ne jamais vivre dans le désert parmi les hommes, ou loin des hommes, mais, au contraire, rechercher leur affection, leur amour.

Cela valait pour la génération du Besht, pour celle du Maguid de Mezeritch et aussi pour la nôtre. Aujourd'hui encore, et même plus qu'avant, un hassid déraciné pourra compter sur ses amis pour lui procurer un foyer ; un hassid désespéré aura vite fait de trouver des ressources nouvelles, des alliés fervents qui l'aideront à combattre le désespoir. Un hassid n'est jamais seul ni mélancolique : cela est, à la limite, permis au Rabbi, mais non au disciple. Mais alors, que doit faire le hassid écrasé par ses souvenirs, brisé par son impuissance à affirmer la vie en même temps qu'à pleurer ses morts ? Comment un hassid qui a survécu à la longue nuit concentrationnaire pourrait-il encore s'ouvrir à la joie, à l'extase ? Seul, il en serait incapable. Avec des amis, il finira par tout entreprendre. Et par tout réapprendre : le devoir de rester fidèle, d'aimer, de rire, de chanter, de résister, de communiquer à autrui le sel de sa vie, et son secret aussi, par des histoires et des mélodies, par des paroles et des silences : le hassid malheureux sera obligé de choisir le bonheur pour ne pas influencer ses amis, pour les empêcher de le suivre, lui, dans l'abîme.

Là encore, dois-je vous révéler ce que certains d'entre vous savent peut-être ? J'ai tenté d'explorer cette attitude-là dans un de mes premiers romans. J'y raconte le destin d'un jeune homme qui accepte la prison et la torture pour sauver un ami encore en liberté. Or, son compagnon de cellule est un fou. Et mon personnage comprend que les tortionnaires les ont réunis exprès. Leur but ? Obtenir que la folie du fou envahisse mon personnage : s'il ne fait rien, lui, il perdra la raison, à son tour. Alors, pour ne pas sombrer dans la démence irrévocable, il se met à guérir le fou — son frère, son ami.

Car, de l'amitié, on peut dire ce qu'un grand Maître hassidique, Rabbi Moshe-Leib de Sassov, disait de l'amour sacré : si on veut trouver l'étincelle, c'est dans la cendre qu'il faut la chercher.

VIII. Chroniques

1. Soljenitsyne et les Juifs.

Ces remarques liminaires, c'est le cœur lourd que je vais les formuler. Notre époque est bien pauvre en héros authentiques, et Alexandre Soljenitsyne en est un. Ses ouvrages, depuis le retentissant document sur ses expériences dans les camps staliniens, font preuve de courage autant que de talent. J'ai aimé ses romans, ses récits, j'ai admiré ses appels d'homme libre. Je voyais en lui une conscience, un homme obsédé de justice et de vérité, un missionnaire qui prenait la parole au sérieux, un messager qui s'exprimait au nom d'innombrables victimes que le bourreau officiel avait rendues muettes. Et je lui en fus reconnaissant.

Comme je le suis pour son *Archipel du Goulag* que, modestement, il nomme « investigation littéraire ». Naturellement, c'est plus et autre chose. C'est un cri de terreur. Un cri poussé par le témoin impuissant qui, ayant vu, subi et vécu l'expérience de la honte et le désespoir, demande qu'on l'écoute.

Et si puissante est sa voix que vous ne pouvez pas vous dérober. Incrédule, vous le suivez dans le Goulag où le cynisme est roi. Là, tout est déformé. Dénaturé. Là, les gouvernants et princes se montrent sans grandeur. Les bâtisseurs de la Révolution, les prophètes de l'espérance. dont la loi devait faire trembler l'Histoire, les voilà dans leurs rôles de pantins. De tortionnaires. Mesquins, lâches, prisonniers de la peur, ils ne songent qu'à sauver leur peau. L'honneur? Un mot. L'idéal? Une plaisanterie. Le grand Boukharine était prêt à trahir, à se trahir, à ramper comme un chien battu. Non pas pour changer ou libérer l'homme, mais pour rester en vie par la grâce du tyran.

Aidé par plus de 200 anciens détenus qui lui ont fourni souvenirs et statistiques, Soljenitsyne présente ici l'univers sordide des camps depuis leurs origines : et vous ne pouvez les pénétrer sans en être bouleversé.

D'autant que leur population représente la société tout entière. Intellectuels et ouvriers, officiers et étudiants, vieux idéalistes et jeunes militants, et jusqu'aux enfants en bas âge, on les retrouve tous dans les camps dits de rééducation par le travail : ils y restent, ils y pourrissent pendant des années et des années — pendant des générations entières. Et souvent pour rien. Par hasard. Pour satisfaire tel caprice de tel officier de la police secrète. Il n'a pas apprécié vos opinions en matière économique ou politique, il a décidé que votre appartement lui conviendrait mieux ; il désire votre épouse ou votre fiancée : il détient tous les pouvoirs. Une parole imprudente, maladroite, une amitié malheureuse suffisent pour vous arracher à votre famille, à votre existence : vous voilà arrêté, inculpé, torturé, brisé, condamné, déporté. réduit au niveau de déchet social.

Les trois volumes du livre foisonnent en épisodes, anecdotes et événements ayant trait aux agissements de cette police maléfique que Staline manipulait pour alimenter ses délires de haine et de sang. Procès à grand spectacle, interrogations secrètes, condamnations, suicides, meurtres : peu d'individus ont pu résister à ce mécanisme déshumanisant. De temps à autre, l'auteur évoque ses propres expériences, et vous pleurez avec lui. De douleur outragée, de rage aussi.

Certains événements sont décrits ici pour la première fois, d'autres frappent par leur interprétation. En voici un qui nous touche particulièrement : dans *les Juifs du silence,* j'ai rapporté des rumeurs selon lesquelles Staline, peu avant sa mort, aurait décidé de déporter tous les Juifs en Sibérie. Eh bien, Soljenitsyne les confirme et y ajoute quelques détails : le dictateur préparait une pendaison publique des « médecins juifs » sur la place Rouge, suivie d'un pogrome en règle avec la participation de la populace furieuse ; les Juifs auraient ensuite été déportés pour que soit assurée leur propre protection...

Il est donc naturel qu'on lise cet ouvrage, malgré ses longueurs et ses lourdeurs çà et là, avec un intérêt soutenu : on veut savoir ce qui s'est passé là-bas, au pays de la Révolution où les hommes semblaient avoir accepté une nouvelle loi, énoncée par un nouveau messie.

Et pourtant. Je trouve ce livre troublant non seulement en raison de ses implications politiques et philosophiques, mais aussi par rapport à l'auteur. Autrement dit, c'est l'auteur qui me déconcerte autant que son livre me passionne.

Que l'on me permette de m'expliquer, et que l'on croie que je le fais non sans tristesse.

Il s'agit de l'attitude de Soljenitsyne envers la tragédie juive à la fois sous Staline et sous Hitler ; elle m'inquiète et me blesse.

A vrai dire, j'avais entendu çà et là des rumeurs, des insinuations qui visaient à mettre en cause son humanisme. Certains prétendaient qu'il n'aimait pas les Juifs ou, du moins, que leur sort ne le concernait point. Je refusais d'y prêter foi. Je me disais — et je continue de le dire — qu'un grand écrivain ne peut pas être antisémite, ne peut pas refuser sa compassion et son concours aux victimes de la haine la plus tenace et la plus bête de l'histoire. Je me disais — et je continue de le dire — qu'un écrivain, parlant au nom d'une conscience et de ses exigences, ne peut pas rester aveugle à la souffrance juive ; elle doit l'émouvoir ou, du moins, l'intéresser.

Or, dans ce livre accablant, il y a des passages, et des aspects, qui ne manquent pas de me laisser désemparé.

Tout d'abord, il traite peu, très peu, des victimes juives de Staline ; quand il le fait, c'est presque en passant et de façon accessoire. Pourtant, nous savons pertinemment que Staline nourrissait à l'égard des Juifs, et du judaïsme, une haine noire et maladive. Et Soljenitsyne n'est pas même curieux d'en analyser les motivations et les implications : comment ne pas nous en étonner ?

Mieux : il raconte — longuement — la persécution des prêtres ; mais non celle des rabbins, talmudistes et penseurs, animateurs des *Yeshivot*. Il décrit les mesures contre l'Église, mais non contre les synagogues. Il s'attarde sur les tourments souvent héroïques des croyants chrétiens, mais ne dit rien sur la douleur et la résistance du croyant juif.

Chose plus surprenante encore : il passe sous silence — ou presque — les crimes perpétrés contre la culture juive et ses porte-parole. Il dit peu de choses sur leur disparition, sur l'arrestation des artistes juifs, sur leur exécution dans les caves de la NKVD, sur l'assassinat de Mikohoels, Bergelson, Der Nister ou Markish. Oui, il en dit trop peu. Il ne les connaissait pas personnellement, soit. Mais son récit est plein d'histoires qui ne le touchaient pas personnellement. Son livre n'est pas une autobiographie, mais une somme de biographies : comment expliquer que celles des martyrs juifs en soient presque absentes ? Est-il possible que, parmi ses informateurs clandestins, il n'y ait eu personne pour le renseigner, si vraiment il tenait à être renseigné ?

Puis, pourquoi ne pas le dire ? Son amour exagéré du

tsarisme me gêne. Eh oui, il semble vouer au tsar une adoration sans bornes. A force de détester le communisme de Staline — et de Lénine —, il ne peut s'empêcher de faire l'éloge du régime qui l'avait précédé. Il compare à tout propos les deux ères, les deux systèmes, et l'on voit clairement où va sa préférence : au temps du tsar, on emprisonnait moins d'hommes, pour moins longtemps, dans des conditions moins répugnantes... Soljenitsyne y revient fréquemment sans jamais rappeler les lois antijuives, les pogromes, les massacres dont les Juifs avaient été les victimes parfois exclusives. Omission qui, une fois encore, ne peut que nous blesser.

Comme nous blessent d'autres comparaisons sous sa plume. Voulues ou non, conscientes ou non, elles sont dirigées contre nous.

Pour souligner les atrocités staliniennes, il les compare aux horreurs hitlériennes. Et là encore, c'est Hitler qui — pardonnez-moi l'expression — s'en sort le mieux. Plus modéré, plus rationnel, moins féroce, plus humain que Staline. Écoutez : Soljenitsyne déclare que la MVD fut plus cruelle que la Gestapo. Pourquoi ? Parce que la Gestapo, elle, en torturant ses détenus avait pour but de découvrir la vérité...

Ailleurs — ou est-ce dans le même ouvrage ? —, il annonce tout simplement que les crimes de Hitler pâlissent devant ceux de Staline : Hitler n'a tué que 6 millions de Juifs, tandis que Staline a massacré 20 millions d'hommes...

Le grand critique anglais, George Steiner, dénonça les attitudes bizarres de Soljenitsyne vis-à-vis des Juifs et jugea ses comparaisons obscènes ; je partage son malaise, sinon sa révolte.

Que Soljenitsyne veuille nous dégoûter de Staline, soit : je n'ai jamais éprouvé envers le dictateur russe autre chose que de l'horreur, au sens fort du terme. Mais pourquoi le compare-t-il à Hitler ? Pourquoi pas à Ivan le Terrible ou à

Gengis Khan ? Et pourquoi distinguer entre leurs victimes ? De quel droit le fait-il ? Et dans quel but ? Pourquoi s'acharne-t-il à dramatiser sa tragédie en diminuant la nôtre ? Ne sait-il donc pas qu'il existe un niveau de souffrance où deux fois deux ne font plus quatre ? Et qu'il existe, dans le mal, une limite par-delà laquelle les comparaisons ne sont plus valables ?

Je le répète : cela me peine de devoir en parler. Mais le silence ici signifierait acquiescement. Donc, complicité. Or, à propos de l'holocauste devenu une sorte de *no man's land* en littérature, c'est désormais pratique courante. On ne se gêne plus. On compare Harlem au ghetto de Varsovie, le Vietnam à Auschwitz. On ose vouloir dire l'indicible, imaginer l'inimaginable : on écrit des romans, on fait des films sur ce que les survivants portent enfoui en eux-mêmes, dans le silence brûlant de leurs regards. On piétine tout sans penser même à s'excuser.

J'espère beaucoup que Soljenitsyne se ravisera un jour ; ou, du moins, qu'il s'en expliquera — ne serait-ce que pour rassurer certains de ses admirateurs juifs qui aimeraient l'aimer et l'admirer sans réserves : l'ambiguïté ne lui convient pas. Elle le desservirait plutôt. Ce qui nous chagrinerait. *Pour lui.*

Nous, après tout, nous en avons vu d'autres.

2. Contradictions.

On me pose souvent sur Israël des questions simples mais essentielles : Quelle est la nature de mes rapports avec ce pays ? Comment un Juif comme moi juge-t-il les changements qui se produisent en Israël ?

Questions troublantes : comment les aborder sans tomber dans la grandiloquence ou l'apologie ? Ces deux formes, ces deux styles me sont pareillement étrangers. Autre difficulté : je n'aime pas parler de moi-même. Or, par leur côté personnel, ces questions m'y obligent.

La première est facile. Depuis toujours, c'est-à-dire depuis que ce mot a une signification pour moi, Israël occupe une place centrale dans ma vie d'homme, de Juif et d'écrivain. Pour l'enfant, c'était une prière. Pour l'adolescent, un songe. Pour l'adulte, un défi. Israël : une obsession. J'y pense même quand je pense à autre chose. En ouvrant les journaux du matin, ce sont les nouvelles d'Israël que je cherche d'abord. En analysant les qualités d'un candidat aux élections, c'est son attitude envers Israël qui déterminera mon vote. Et pourtant, je vis ma vie non pas en dehors d'Israël mais loin d'Israël. Paradoxe ? Un parmi tant d'autres.

Dans mes écrits, Israël n'est présent qu'en filigrane : décor invisible plutôt que thème principal. Deux sur mes vingt ouvrages traitent de la problématique israélienne. Dans mes conférences, j'en parle peu et moins encore dans mes cours à l'université. Et pourtant, si Israël n'existait pas, peut-être n'aurais-je jamais rien écrit.

Comment expliquer ces contradictions ? Pourquoi ai-je choisi de vivre l'expérience d'Israël autrement qu'au niveau quotidien ? Et, ayant fait ce choix, pourquoi est-ce que j'en retire un sentiment de malaise ? J'avoue ne pas être en mesure de répondre. La question est *vraiment* trop personnelle.

Les changements d'Israël ? Bien sûr, ils existent. Je me souviens de ma première visite : le pays n'était ni aussi riche ni aussi pauvre. Il était plus jeune. Et moi aussi...

Je me relis et ma plume s'arrête : j'allais citer des exemples, entrer dans les détails. En ai-je le droit ? Oui, ai-je le droit de me mêler des affaires intérieures d'un pays dont l'actualité ne m'affecte pas directement ? Ai-je le droit de critiquer des Israéliens en dehors d'Israël ? D'habitude, je ne le fais pas. Je m'impose le silence : c'est le prix que le Juif paie pour résider en diaspora. Et pourtant Israël appartient au peuple juif tout entier. Et j'aimerais pouvoir participer aux grands débats qui semblent agiter la population : l'absorption des Juifs russes, les relations avec les Palestiniens, les glissements vers la droite ou la gauche. Je n'ose pas. Le premier polémiste venu me dira de quoi vous mêlez-vous, Juifs de la diaspora ? Je crois qu'il aurait tort, mais ce n'est pas à moi de le lui faire remarquer. Le signal, sur ce point-là, devrait venir d'Israël. C'est Israël qui devrait encourager la diaspora à se vouloir libre dans ses jugements et passionnée dans ses prises de position. Israël et la diaspora : les deux pôles de l'histoire juive : l'un ne devrait pas vivre aux dépens de l'autre. L'un devrait, au contraire, être au centre de l'autre. Plutôt que d'amoindrir la vie juive dans la diaspora, Israël devrait chercher à l'enrichir. Est-ce possible ? Je n'en sais rien. Je sais seulement que c'est nécessaire. Et vital.

L'avenir ? Je songe à la formule frappante d'Albert Camus : « De nos jours, il reste pour l'homme un choix : être un optimiste qui pleure ou pessimiste qui rit. » Je pense à 1967 et je suis triste. Je me rappelle 1937 et je ris.

Notre histoire nous enseigne au moins que tout est possible. En bien et en mal. Je sais : je viens d'énoncer une contradiction, une de plus. Mais pour un Juif qui aime Israël, qui s'identifie à son destin et qui pourtant ne partage pas son angoisse et ses joies de tous les jours, rien n'est aussi important que de devoir, que de pouvoir assumer ses contradictions.

3. Babi-Yar : 1941-1981.

Babi-Yar ou la souffrance juive. Babi-Yar ou la mémoire juive. Babi-Yar ou la colère juive. Nulle part, je n'ai éprouvé tant de colère ni tant d'impuissance.

Je m'en souviens, je m'en souviendrai toujours. C'était en 1965. J'y étais venu pour la première fois. Je me promenais à travers Kiev et je cherchais le lieu où, entre Rosh-Hashana et Yom Kipour de 1941, les tueurs allemands avaient massacré entre 50 000 et 80 000 Juifs.

J'étais persuadé que Babi-Yar se trouvait en dehors de cette belle cité ukrainienne. Je ne pouvais concevoir qu'une boucherie pareille — 10 000 victimes jour après jour — ait pu se dérouler près d'un centre urbain.

J'en avais lu suffisamment de témoignages pour savoir à quoi m'en tenir : par sa cruauté froide et calculée, par son ampleur aussi, Babi-Yar occupe une place à part dans l'histoire de ce que, dans notre pauvre vocabulaire, nous appelons l'holocauste.

Quelques semaines après l'invasion allemande, les Juifs de Kiev furent invités — par des affiches brèves, menaçantes — à se rendre dans un endroit désigné. Bagage autorisé : quelques vêtements et un peu de nourriture. Tous furent conduits au faubourg de Podol où la ravine de Babi-Yar leur servit de fosse commune.

Hommes, femmes et enfants : tous furent alignés, nus, par rangées entières, et mitraillés à bout portant. Et cela continua pendant dix jours de suite. Les tueurs tuaient et les victimes basculaient dans la ravine, certaines blessées seulement ; vivants et morts entremêlés.

Babi-Yar ne peut pas se situer près d'une ville habitée,

pensais-je. Babi-Yar se trouve sans doute en pleine forêt, au loin, au-delà de tout ce qui respire ; Babi-Yar existe sans doute en dehors de Kiev, en dehors de toute vie organisée.

Je me suis trompé. Babi-Yar se trouve *dans* Kiev, à une dizaine de minutes des hôtels pour touristes étrangers. Babi-Yar est près du centre de la ville. Donc, les habitants avaient entendu les fusillades ; ils avaient vu le défilé des victimes ; ils avaient vu la terre s'ouvrir pour avaler leurs voisins juifs, leurs camarades juifs, leurs collègues juifs... Le massacre se déroulait presque devant leurs yeux, mais ils les fermaient pour travailler et dormir et vivre et attendre, comme si cela ne les concernait nullement. Pourquoi la ville n'avait-elle rien fait pour protéger ses citoyens juifs ? Pourquoi n'avait-elle rien fait pour cacher çà et là quelques enfants, quelques vieillards ? Les faits sont là et ils sont terribles parce que vrais et accusateurs : il y a moins de survivants de Babi-Yar que d'aucun autre endroit semblable. J'en ai rencontré un, cette année-là, à Kiev : une femme brisée et muette. Et folle.

A vrai dire, moi aussi, j'ai cru devenir fou. J'interrogeais chauffeurs de taxis et guides de l'Intourist : comment fait-on pour aller se recueillir à Babi-Yar ? Aucun n'accepta de me renseigner. Certains disaient : ça n'est pas au programme des visites officielles. D'autres ajoutaient : pourquoi voulez-vous y aller ? c'est un endroit comme un autre. Avaient-ils tous honte ? ou bien, essayaient-ils de nier la signification profonde et brutale du nom Babi-Yar ? Pourtant, le monde entier en était informé. Quelques mois après le massacre, le *New York Times* lui avait consacré quatre ou cinq colonnes avec faits et chiffres à l'appui. Après la guerre, les Juifs russes l'évoquaient dans leurs écrits et comptes rendus ; rappelez-vous Evtouchenko... Je ne me laissai pas décourager : je trouvai le moyen d'aller à Babi-Yar. Et là, c'est le cœur serré que je contemplai le paysage serein où la mort d'une grande communauté florissante n'avait pas laissé de trace. Des enfants jouaient ; des bulldozers parcouraient la chaussée. Et dire que, quelques années auparavant, sous le même ciel bleu et infini, des familles entières tombaient dans la ravine. Sans hurler ni crier de peur. C'est en silence que les victimes s'écroulaient dans la tombe de Babi-Yar.

Plus tard, j'appris par un témoin que, pendant des mois et des mois. le sol n'avait cessé de trembler ; et que, de temps en temps, des geysers de sang en avaient giclé.

J'appris également, mais cela plus tard encore, que la jeunesse juive de Kiev se rendait souvent à Babi-Yar, surtout la nuit, pour se souvenir ensemble, pour espérer ensemble.

Mais, sur le moment, en contemplant le paysage de Babi-Yar, il n'y avait que la colère que je sentis monter en moi : colère contre les tueurs, bien sûr ; et contre leurs complices ; et contre les spectateurs locaux qui les avaient laissé faire ; et contre le régime qui, en 1965, malgré les pressions de l'étranger, ne permettait pas que l'on élève un monument à la mémoire des victimes englouties par la haine et l'indifférence. Cette absence de pierre tombale, ou d'inscription, me paraissait monstrueuse.

De retour d'URSS, je publiai mon témoignage sur la situation des Juifs là-bas. Livre d'espoir, appel à la solidarité autant qu'à la foi : ce livre ne contient qu'un chapitre où perce l'angoisse : celui sur Babi-Yar. Ailleurs, c'est le chant de la jeunesse que je transmets ; ici, à Babi-Yar, c'est le silence opaque, noir, inhumain, bref : le silence hostile et étouffant. Et pendant longtemps je ne pus me libérer de la colère que la vue de Babi-Yar fit naître en moi.

Pouvais-je savoir, pouvais-je prévoir qu'elle allait rejaillir, avec une force plus violente, lors d'une seconde visite au même endroit ?

Je suis retourné à Kiev en août 1979. Bien sûr, je demandai à visiter Babi-Yar. Étant en voyage officiel — à la tête de la délégation de la Commission présidentielle sur l'Holocauste

—, j'obtins satisfaction. Les officiels de la municipalité, suivis des caméras des télévisions et des journalistes de la presse locale et étrangère, nous y accompagnèrent. Pourquoi pas ? Maintenant, ils pensaient pouvoir se vanter : un monument à Babi-Yar ? Mais, le voilà ! En effet, le voilà : un monument massif et grandiose comme seuls les Soviétiques sont capables d'en produire. Impressionnant à tous points de vue, sauf... sauf que le mot juif n'y figure point ! Ce monument est censé être élevé à la mémoire des citoyens russes assassinés par les fascistes... Alors, je me suis fâché, comme jamais auparavant. Dans mon discours, j'ai dit tout ce que j'avais sur le cœur : « En 1965, je me tenais ici même et j'éprouvais de la colère ; maintenant, c'est la honte que je ressens : j'ai honte pour vous... Vous savez parfaitement bien que les hommes et les femmes qui gisent dans cette fosse, c'est en tant que Juifs qu'ils ont été tués ! De quel droit les privez-vous de leur identité ? Ils ont vécu comme Juifs, travaillé comme Juifs, rêvé comme Juifs et c'est en tant que Juifs qu'ils ont été isolés et désignés par le bourreau, c'est en tant que Juifs qu'ils subirent la peur, la torture et la mort : de quel droit les jetez-vous maintenant dans l'anonymat ? Au nom de quoi les mutilez-vous dans leur être ? Pourquoi ne leur accordez-vous pas la justice posthume de leur rendre la place que, de leur vivant, ils ont revendiquée dans l'histoire juive ?... »

Officiels et commentateurs soviétiques, visiblement embarrassés, tentèrent de discuter, d'expliquer, de se justifier. En vain. Tous les membres de notre délégation, Juifs et non-Juifs, répondirent avec indignation. Le monument de Babi-Yar constitue un scandale. Pour les morts, il s'agit d'une nouvelle trahison.

Si nous avons réagi ainsi, c'est que le cas Babi-Yar n'est malheureusement pas unique ; au contraire, il reflète une sorte de courant, de *Zeitgeist*. En dehors de l'URSS aussi, on entend des gens, souvent de bonne foi, prêcher l'universalisation d'Auschwitz. Certains disent : « Ne parlons plus de 6 millions, évoquons les 11 millions de victimes de l'holocauste » — comme si ce chiffre correspondait à une vérité historique ou éthique quelconque. D'autres disent : « Pourquoi se vautrer dans le passé ? Parlons du présent, du Cambodge par exemple ou de l'Argentine... » Ainsi, nous assistons à un processus dangereux : l'expérience qu'on croyait unique, la voilà commercialisée, dénaturée, mutilée et utilisée à des fins de propagande, de publicité et de n'importe quoi... A un certain moment, vous ne savez plus : qu'est-ce qui vaut mieux, qu'on parle ou qu'on se taise ?

Abandonnés de leur vivant, les Juifs de Babi-Yar sont trahis dans leur mémoire. D'où cette colère sourde en nous. Et cette tristesse infinie.

4. Kaddish au Cambodge.

Le 18e jour du mois de Shwat de cette année 1980, je me trouvai dans le village poussiéreux et bruyant d'Aranyaprathet, à la frontière thaïlandaise-cambodgienne, et je cherchai désespérément neuf Juifs.

C'est que ce jour marque l'anniversaire de la mort de mon père. Il me fallait donc un *Minyan* pour réciter le *Kaddish*. A Bangkok, je l'aurais eu : la communauté juive compte une cinquantaine de familles, et l'ambassade israélienne une vingtaine. Je n'aurais pas eu de problème pour réunir dix hommes pour le service de *Minha*. Mais à Aranyaprathet ?

Je m'y étais rendu pour prendre part à une Marche pour la survie du Cambodge organisée par The International Rescue Committee eı les Médecins sans frontières. Une centaine d'hommes et de femmes représentaient les Etats-Unis et l'Europe. Il y avait là des philosophes, des romanciers, des parlementaires et des journalistes, des journalistes sans fin : comment savoir qui pouvait m'aider à résoudre *mon* problème ?

En vérité, j'eus envie de téléphoner à un ami rabbin, à New York ou à Jérusalem, et solliciter son avis du point de vue *halakhique* : Que fait-on en un cas semblable ? doit-on observer l'anniversaire le lendemain ou une semaine après ? Mais je craignais que le rabbin ne me réprimande en disant : Qu'es-tu allé chercher en Thaïlande le jour où tu devais te rendre à la synagogue ?

Ma justification : comment aurais-je pu refuser de venir là où tant d'hommes et de femmes meurent de faim et de maladies diverses ? J'avais vu, à la télévision, les réfugiés cambodgiens arrivant en Thaïlande : des squelettes aux yeux sombres et fous de terreur. J'avais vu la peur, la faim et la résignation. Et des êtres qui se traînaient sur le sol, exténués, résignés à ne jamais plus se lever. Comment un Juif comme moi, avec son expérience et sa mémoire, aurait-il pu rester chez lui et ne pas venir se porter à leur secours ? On me dira : mais quand toi tu avais besoin de secours, nul n'est venu vers toi... C'est vrai. Mais c'est parce que personne n'était venu pour moi, que je me devais de venir aider ces victimes qui avaient souffert des bombardiers américains, des fusils vietnamiens et, mille fois plus, et plus cruellement, de leurs propres frères, les meurtriers et assassins déments de Pol Pot. C'est le Juif en moi qui éprouvait le besoin de dire à ces hommes et ces femmes vidés d'espoir que nous les comprenions, que nous essayions de partager leur peine : que nous comprenions leur détresse car elle nous rappelait une époque où nous, Juifs, nous heurtions à un mur plus noir, à une indifférence plus générale...

Me voici donc en Thaïlande, à Aranyaprathet, avec des hommes et des femmes de bonne volonté, cherchant à nourrir, à guérir, à sauver des Cambodgiens — et moi je m'efforce de réunir un *Minyan*, car, de tous les jours de l'année, celui-ci, le 18ᵉ jour de Shwat, est pour moi chargé de signification et de souvenirs obscurs.

Heureusement, dans la délégation américaine, il y a un rabbin conservateur. Il ne me manque plus que huit Juifs. Léo Cherne est là : c'est le président énergique, dynamique, de l'International Rescue Committee. Il m'en manque sept encore. J'aperçois le célèbre dissident soviétique Alexandre Ginzburg ; je me précipite vers lui : accepterait-il de se joindre à un *Minyan*? Il me regarde sans comprendre. Je dois lui paraître fou : c'est quoi, un *Minyan*? Je lui explique : un service religieux. Il comprend encore moins : un service religieux ici? devant le pont miné qui sépare la Thaïlande du Cambodge? en plein milieu d'une manifestation de solidarité internationale? Bon, je recommence, j'explique. Mais c'est en vain : Alexandre Ginzburg n'est pas juif ; il s'est converti à la religion orthodoxe russe. Autrement dit : il me manque toujours sept Juifs.

Je me rappelle avec nostalgie mon dernier office religieux pour les mêmes circonstances. C'était à la Maison-Blanche. La Commission présidentielle pour l'Holocauste tenait sa séance inaugurale, et nous l'interrompîmes pour nous retirer dans un bureau où j'officiai en chantant la prière de *Minha*. Je me souviens : arrivé au passage de *Selah lanou avinou ki khatanou* (Pardonne-nous, notre Père, car nous avons péché), je sentis ma gorge se nouer : je ne pus continuer. Malgré mes efforts, malgré mon intention de dire ces mots, je fus incapable de les prononcer...

Tout à coup, je vois le jeune philosophe français Bernard-Henri Lévy, qui fait une déclaration à la télévision. Encore six! Plus loin, le romancier juif sépharad Guy Suarès. Et un médecin de Toulouse se joint à nous. Et le correspondant du *New York Times*, Henry Kamm. Encore un médecin... Enfin, nous sommes dix. Au milieu du brouhaha, à quelques pas de la frontière cambodgienne, nous disons les prières d'usage. D'une voix tremblante, je récite le *Kaddish.*

Et soudain, j'entends derrière moi un homme, encore jeune, qui répète après moi les mêmes paroles, sanctifiant et glorifiant le Maître de l'univers. Il a les larmes aux yeux, le jeune Juif. Je lui demande :

— Pour qui dites-vous le *Kaddish ?* Pour votre père ?

— Non.

— Pour votre mère ?

— Non plus.

Il devient rêveur et son bras se tend du côté de la frontière :

— C'est pour eux, dit-il.

Et je compris mieux pourquoi j'étais venu ce jour-là à la frontière cambodgienne.

5. Les « révisionnistes ».

A en croire certains « révisionnistes » de l'Histoire à l'esprit moralement déréglé, l'holocauste n'avait donc pas eu lieu. Les tueurs n'ont pas tué et les victimes n'ont pas péri. Auschwitz ? Une fraude. Treblinka ? Un mensonge. Bergen-Belsen ? Un nom parmi tant d'autres, pareil aux autres. Voilà ce qu'ils clament et proclament depuis quelques années. Leurs pamphlets sont publiés dans tous les pays occidentaux, dans toutes les langues. Leurs auteurs ? Universitaires, militants de droite et de gauche, pseudo-historiens : on les trouve partout. Et partout un certain public contestataire les écoute. On parle déjà de Majdanek comme d'une hypothèse. Çà et là, des jeunes étudiants insolents sourient : « Sans doute y a-t-il exagération. Des deux côtés. »

91

Ne citons pas les noms de ces personnages haineux et hargneux : à quoi bon leur faire de la publicité ? Ils ne demandent que cela. Ils brûlent de dialoguer avec des survivants, surtout sur le petit écran. Seulement nous refusons. Nous sommes déterminés à ne pas leur accorder la dignité d'un débat.

Alors, ils continuent. Il paraît que le nombre de leurs volumes dépasse la centaine. Certains sont constamment réédités. Il existe donc un public pour ce genre d'ouvrages. C'est à y perdre la raison.

D'ailleurs, toute cette affaire relève de la démence. Ces anciens SS qui jurent que les cheminées d'Auschwitz étaient des boulangeries. Ces chercheurs qui démontrent, à coups de dessins géométriques et d'additions de chiffres, que les chambres à gaz ne pouvaient absorber un si grand nombre de victimes parce que. Et ces savants qui organisent des voyages aux camps d'extermination pour démontrer que ces camps n'ont jamais existé. Et ce porte-parole du Parti nazi en Californie qui, interviewé à la télévision, déclare que « toutes ces histoires de massacres ne sont pas vraies, et c'est bien dommage ; j'aurais souhaité qu'elles le fussent ».

Ces crimes, ces horreurs, on en parlera encore dans mille ans, disait le bourreau de la Pologne, Hans Frank. Propos naïfs. Ces crimes, ces horreurs, on n'en parle presque plus. Pire : on en parle trop, et trop à la légère. Résultat : les « révisionnistes » les nient tout à fait.

« Le mensonge sur Auschwitz », « La fraude du siècle », « La vérité sur l'holocauste » : voilà quelques-uns de leurs titres. Ils organisent séminaires et colloques nationaux et internationaux pour « démontrer » que les chambres à gaz n'ont jamais existé, qu'il n'y a pas eu de « solution finale », que les Juifs ont inventé leur propre tragédie — j'allais dire leur propre mort — pour extorquer larmes et argent des nations ainsi culpabilisées.

Que dire, comment le dire? On ne répond pas à la vulgarité. on ne discute pas avec la laideur. On continue son chemin, on poursuit le récit. Après la pause écœurante, on se remet à la tâche.

Mais, malheureusement, le mal est fait. Limité mais inquiétant.

Voilà donc, amis survivants : tout cela n'est qu'une controverse. Et vous, combattants des ghettos de Varsovie et de Bialystok, vous n'avez pas assisté au massacre de vos proches ; et vous, réfugiés de Lodz et de Vilno, vous n'avez pas vu vos enfants dans leur agonie ; et vous, rescapés de Sobibor et de Ponàr, vous n'avez pas vu les flammes qui consumaient vos frères et vos sœurs pour en faire cendre poussiéreuse, envahissante. Chelmno et Majdanek, Belzec et Janowska n'étaient pas des lieux où des communautés entières avaient été anéanties. Ringelblum, Kaplan, Grossman n'ont rien écrit ; Viernik, le menuisier de Treblinka, n'a rien raconté. Les procès de Nuremberg, de Hambourg, de Francfort ; les verdicts prononcés contre les médecins, les tueurs, les techniciens des camps de la mort, ils n'ont jamais eu lieu. Il n'y a pas eu de « sélection » à Birkenau, ni d'insurrection à Treblinka. Mengele : un médecin comme tant d'autres. Eichmann : un bureaucrate parmi tant d'autres. Globocnick, Hoss, Katzman : des officiers qui obéissaient aux ordres d'Hitler qui, d'ailleurs, n'a jamais songé à exterminer le peuple juif...

Mais alors, me demanderez-vous, où ce peuple a-t-il disparu ? Où sont les 3 millions de Juifs polonais ? Et ceux de ma ville, et ceux de toutes les villes de l'Europe occupée, et ceux des bourgades du Dniepr aux Carpates, où sont-ils ? Où se cachent-ils ? Nos parents, nos amis, nos voisins, où sont-ils ?

Comble d'ironie, comble de torture : les survivants sont contraints de montrer leurs plaies, de dire des choses que, par pudeur, certains préfèrent taire ; ils sont obligés d'affronter des accusateurs indécents qui les privent de leur passé.

Où sont nos humanistes qui se précipitent toujours pour défendre les droits de l'homme ? Est-ce que les droits, les sentiments, les souvenirs des survivants ne comptent point ? Professeurs d'histoire, de morale, de philosophie : pourquoi n'entend-on pas vos voix ? Soldats et officiers qui avez libéré Buchenwald, Auschwitz, Ravensbrück : pourquoi ne dites-vous pas, et plus haut et plus fort, ce que vous avez découvert à l'intérieur de l'enfer ? Étudiants des enseignants « révisionnistes », pourquoi ne boycottez-vous pas leurs cours ?

Je ne comprends pas.

Il n'y a pas eu de camps, ni de fosses communes, ni de crématoires ; aucun de nous n'a connu Birkenau ni Babi-Yar. Aucun de nous n'a été rendu orphelin.

Mais alors, pourquoi n'avons-nous pas cessé de réciter le *Kaddish* ? Si ce n'est pas pour les morts que nous le récitons, alors c'est pour les vivants.

6. A des amis chrétiens.

Vous savez combien notre amitié m'est nécessaire. Je l'apprécie et vous en êtes conscients. Dans mes livres et par mes livres, je m'adresse aussi à vous. Autrement dit : je m'exprime de la même manière et j'essaye de communiquer les mêmes idées, les mêmes expériences, les mêmes contes, à tous ceux qui me lisent. Dans la mesure où j'ai quelque chose à dire, je ne me laisse pas influencer par le goût du public et sûrement pas par ses préjugés divers. Si l'écrivain se préoccupe trop de son lecteur, il risque de se disperser et, en fin de compte, de disparaître.

Ce que je raconte aux uns est également destiné aux autres. Certes, j'évoque un univers vécu en tant que Juif ; mais n'importe qui pourrait y entrer. Le sujet, les personnages, le paysage : tous sont juifs. Mais les thèmes sont universels ou, du moins, je souhaite qu'ils le soient. Le Chrétien peut apprendre beaucoup du Juif à condition que le Juif travaille sur lui-même pour s'accomplir en tant que Juif. C'est pourquoi, dans mes écrits, je m'efforce à n'explorer que le judaïsme ; je m'interdis de commenter ce qui ne fait pas partie de mon être.

Ainsi je parle volontiers à des Chrétiens, mais seulement du judaïsme. Je leur montre — ou je leur rappelle — ses sources et ses ressources, la profondeur de ses préoccupations éthiques, la majesté de son appel messianique et de sa fidélité à la mémoire. Loin de moi d'adopter un ton triomphaliste : ce que je dis de moi ne s'applique qu'à moi ; ma vérité ne prétend pas être supérieure à la vôtre. Pour nous, seule notre vérité nous relie à nos ancêtres, et nous comprenons parfaitement que vous disiez la même chose de la vôtre.

Pour un Juif, la voie doit être juive. Pour un Chrétien, elle est sans doute chrétienne. Le secret est dans la compréhension mutuelle. Dans la tolérance, c'est-à-dire dans le rejet total du fanatisme sous toutes ses formes.

Aux Juifs, j'essaie de dire : nous avons un passé, revendiquons-le ; une identité, assumons-la ; une tradition, enrichissons-la en l'explorant, en l'étudiant. Aux Chrétiens, je dis : pour que nous, Juifs, soyons en mesure de vous *donner* quelque chose, il faudrait que nous soyons juifs. Plus nous serons juifs, et plus nous aurons à offrir. Et cela est vrai également de toutes les communautés. L'échange ne peut être vrai que sous le signe de l'être.

Il n'en a pas toujours été ainsi. Il fut un temps où, entre le monde chrétien et le mien, n'existaient que des rapports de violence : un Chrétien, pour moi, représentait menace et danger. Vivant à l'ombre de la Croix, elle me faisait peur. Enfant, je redoutais mes camarades d'école municipale qui me poursuivaient dans la rue pour me ridiculiser, me tourmenter et me frapper. « Tu as tué le Christ », hurlaient-ils. Et moi, je ne comprenais pas : je n'ai tué personne, moi. Plus tard, pendant la guerre, l'abîme entre nous fut plus profond : les Juifs d'un côté, les Chrétiens de l'autre. Avais-je eu tort de généraliser ? Maintenant, je sais déjà qu'on a toujours tort de vouloir simplifier. Mais il m'a fallu du temps pour franchir certaines murailles. J'ai surmonté soupçons et inhibitions : je me sens désormais capable de parler à des Chrétiens de ma vie juive. Et je sais que certains sont capables de comprendre.

Parfois, cela semble miraculeux : comment un étranger pourrait-il comprendre ce que fut l'angoisse juive, ce qu'est l'espérance juive ? Mais cela arrive. Entre un Juif et un Chrétien, s'ils sont authentiques et ouverts, le dialogue demeure possible. Et même inévitable.

Retombée tardive de Treblinka et d'Auschwitz ? La planète tout entière est menacée. L'homme ne s'est jamais senti aussi étranger à la Création. Une génération après la plus meurtrière des guerres, la paix n'est toujours qu'un idéal lointain et illusoire. On se tue en Irlande, on fait la guerre en Iran et en Irak, on sème la mort au Liban : on n'a donc rien appris.

Si, nous avons appris que, après l'Événement de la nuit, l'Histoire est une et indivisible : ce qui m'arrive en tant que Juif vous affecte en tant que Chrétien. Nous sommes responsables les uns des autres, et cela à l'échelle de l'humanité.

Vous me demanderez peut-être : est-ce encore possible ? peut-on effacer deux mille ans de persécutions ? Non, on ne peut pas, et il ne faut pas : il ne faut rien effacer. Mais plutôt que d'effacer la mémoire, il nous faut l'approfondir et la dépasser. En d'autres termes : plutôt que de nous diviser, de nous séparer, de nous opposer les uns aux autres, Auschwitz devrait nous rapprocher les uns des autres. Là est notre seule possibilité de salut, ou du moins de survie.

7. Peretz Markish.

Après une conférence talmudique, à Genève, un jeune universitaire m'aborda timidement et m'interrogea : « Je crois que vous connaissiez mon père, est-ce possible ? » C'était Simon Markish, le fils aîné du grand poète juif Peretz Markish.

Je venais de publier mon roman *le Testament d'un poète juif assassiné* où, au bout d'une recherche approfondie qui avait duré de nombreuses années, je tentais d'évoquer la vie et la mort des écrivains, romanciers et poètes juifs communistes, liquidés sur l'ordre de Staline en 1952.

Mon personnage principal, Paltiel Kossover, réunissait les éléments divers qu'on retrouve chez tous les écrivains juifs communistes : leur passion de la justice, leur soif de fraternité, leur amour des pauvres, des déshérités. Ils m'intriguaient. Je ne comprenais pas : comment un Juif vrai — c'est-à-dire qui cherche à s'accomplir par et dans sa condition juive — pouvait-il succomber à la foi communiste qui, à la limite, prêche l'assimilation totale ? Comment un intellectuel juif traditionnel comme Der Nister, le grand romancier du hassidisme bratzlavien, pouvait-il adhérer à un parti totalitaire dont chaque membre est tenu de chanter l'éloge du chef comme s'il était un dieu ? Comment un poète comme Peretz Markish pouvait-il se soumettre à la loi fanatique d'un Staline ? Éduqués dans le messianisme juif, comment ces hommes de cœur et d'intelligence pouvaient-ils s'assumer comme soldats du communisme ? Et puis, je ne comprenais pas autre chose : pourquoi Staline les avait-il fait massacrer, pourquoi cette haine farouche ? J'étudiais documents et lettres, publiés et inédits, j'interrogeais communistes anciens et actuels, je voulais savoir : j'ai écrit le roman pour savoir autant que pour informer.

De tous ces écrivains, deux me fascinaient particulièrement : Markish et Der Nister. D'abord parce que j'admirais leur talent : le souffle romanesque de l'un, la puissance poétique de l'autre ; j'aurais souhaité les connaître autrement que par leurs paroles.

« Vous avez bien connu mon père, n'est-ce pas ? » me demanda Simon Markish qui avait assisté à ma conférence sur Rabbi Akiba, à Genève. Je le regardai un long moment : était-il poète, lui aussi ? « Non, dis-je, je n'ai jamais rencontré votre père. » Il eut un mouvement d'étonnement : « Mais, dans votre livre, vous en parlez si bien, c'est comme... » Je l'interrompis : « Non, je n'ai jamais rencontré Peretz Markish, mais je l'aime beaucoup. »

En fait, Paltiel Kossover s'inspirait de Markish comme de Der Nister. Certes, non pas sur le plan concret des apparences, mais sur un plan plus profond, presque invisible, de l'être : Kossover puisait à leur source. Comme eux, il désirait chanter l'homme ; et, comme eux, il en fut la victime.

De tous les commentaires sur mon roman, celui de Simon Markish m'a le plus touché, car il signifie récompense et justification.

Dois-je expliquer l'attrait que Markish exerce sur moi ? Le personnage et son œuvre font partie d'un paysage à la fois familier et étrange : celui de mon adolescence, dans ma petite ville, Sighet, enfouie dans les Carpates, que je croyais le centre de l'univers. En me plongeant dans ses poèmes, j'y découvre mes amis aînés, mes précurseurs qui, avant moi et mieux que moi, ont osé s'aventurer sur les sentiers interdits de l'action et de la pensée, en dehors et parfois contre la tradition religieuse.

Je me mis à le lire, à l'étudier sans discontinuer. Sa vision de l'homme en guerre, aspirant au bonheur simple, à la sérénité et à l'amour ; son jugement sur les ennemis du peuple juif et de l'humanité tout entière — ce sont toujours les mêmes — et sur ce qui constitue leur force éphémère ; ses avertissements, ses promesses, ses paroles de consolation : on ne peut les lire sans en être bouleversé. Sa voix vous interpelle, vous pénètre, vous déchire ; vous ne l'oublierez pas de sitôt.

Pour mieux le connaître, je lisais et relisais ce que sa veuve Esther Markish écrivit à son sujet ; et ce que d'autres publièrent : commentaires sur son œuvre ou — tel que Irving Howe — sur la poésie juive russe en général ; souvenirs, rencontres, correspondance ayant trait à ses années turbulentes d'avant et pendant la Seconde Guerre mondiale...

Je découvris ainsi une vaste littérature où toutes les tendances se reflètent : conception classique, vocation lyrique, poussée expressionniste... Le naturalisme de Bergelson, le réalisme de Feffer, le mysticisme de Der Nister : comme partout en Union soviétique, les poètes et écrivains juifs chantaient l'espérance nouvelle dont la promesse semblait encore pure et belle. Excès de naïveté ? Possible. Et fort compréhensible. En ce temps-là, les jeunes Juifs éprouvèrent le besoin de croire en quelque chose de nouveau. Ils avaient trop souffert — dans leur personne ou dans leur mémoire collective — pendant trop de siècles pour ne pas aspirer à briser toutes les structures et les remplacer par un système révolutionnaire au sein duquel tout allait devenir possible.

Né en Vohlnie à la fin du siècle, Peretz Markish connaît la pauvreté, la misère, la peur. Il va à l'école juive, apprend les Livres saints, chante à la synagogue, attend la venue du Messie et prie Dieu de protéger son peuple en exil. Puis vient la Révolution et, comme beaucoup de ses contemporains, le jeune Markish se mobilise dans ses rangs. Vive l'homme libre, vive l'avenir. En termes communistes, cela signifie : à bas le passé, à bas la religion. Donc, il faut se débarrasser de tout ce qui rappelle la tradition, les fêtes, les coutumes, les lois, les chants et les rêves du passé. Les rabbins, les sages, les philosophes anciens, les chantres de la mémoire et de la fidélité doivent céder la place aux hérauts du socialisme moderne. Comme tout le monde, Markish est pris au jeu. Dans ses écrits de l'époque, il vante les communistes et condamne tous ceux qui ne le sont pas. Comme tout le monde, il est dur pour les propriétaires juifs, les employeurs juifs, les notables juifs, excessivement dur. N'empêche que, quelques années plus tard, il est quand même pris à partie par les surveillants politiques du Parti qui lui reprochent de ne peindre que des Juifs... Et là, pas comme tout le monde, il refuse de plier. Il se défend et persévère. Écrivain juif, poète juif, c'est en tant que Juif qu'il exprime ses aspirations universelles.

Est-ce pour cela qu'il quitte l'Union soviétique dans les années vingt ? Il va à Berlin, à Varsovie et visite même la Palestine. Avec Uri-Tzvi Grinberg et Meilekh Ravitch, il fonde *Khalastra*, revue éclatante de vigueur, de fraîcheur et d'impertinence, il s'impose partout comme conférencier brillant et envoûtant, il se veut agitateur d'idées reçues, il ébranle tout ce qui paraît solide, il remet tout en question : Ilya Ehrenbourg le décrit comme un Byron juif, inquiet, romantique et pénétré d'une beauté à faire rêver. Il ne dépend que de lui de rester en Occident et d'y faire carrière. Ce qu'il veut, il l'obtient. Les foules l'acclament, l'élite tient compte de la moindre de ses remarques. On aime son humour, on apprécie son courage de rompre avec le lyrisme traditionnel de la poésie juive, on le porte en triomphe. Et pourtant..., il rentre en Union soviétique.

Pourquoi ? Prémonition de la montée du nazisme ? Il sent que l'Europe occidentale s'effondre, il prévoit la destruction des communautés juives de Pologne : il est trop poète pour ne pas être un peu prophète aussi. Or, en Russie, on assiste encore à une sorte de renaissance de la culture juive. On y publie revues et livres en yiddish, on y tient séminaires et colloques. Autour de Markish, on reconnaît Kvitko et Hofstein, Halkin et Feffer et, bien sûr, sur la scène, les dominant tous, le grand, l'unique Shlomo Mikhoels. Eh oui, on comprend qu'un poète juif succombe à l'attrait. On comprend qu'il veuille être des leurs.

Et, pourquoi ne pas le dire, à la surface, Markish semble avoir raison. Il se voit décerner l'Ordre de Lénine. Écrire en yiddish est donc quelque chose d'important. Le pacte Hitler-Staline ? Épisode passager. La guerre contre l'Allemagne nazie est, pour les Juifs, l'occasion de mobiliser toutes leurs forces pour participer au combat national et international. Il faut lire ce que Markish écrit alors sur le ghetto de Varsovie, sur l'histoire juive en général, et surtout sur la guerre contre les Juifs ; il faut dire ce qu'il dit de son temps pour comprendre la grandeur de son âme et la profondeur de sa peine.

Dès lors, Markish n'est plus le même. Le communiste en lui vit à l'ombre de l'homme juif qu'il est et dont il veut assumer le destin jusqu'au bout. Il paraît plus renfermé, plus solitaire. Ses méditations poétiques rejoignent le lyrisme classique, prophétique, de ses lointains précurseurs. Il écrit un long poème sur l'*Homme de quarante ans*, et il sait qu'il ne verra le jour qu'à titre posthume. Il passe plus de temps avec son fils Simon. Il se rend compte de ce qui se passe autour de lui : ses amis et compagnons sont arrêtés, bientôt ce sera son tour à lui. Le 27 janvier 1949, au matin, on frappe à sa porte.

Depuis, on ne sait plus rien de lui. Comment a-t-il vécu en prison ? Qu'a-t-il dit à ses juges et bourreaux ? Quels chants a-t-il composés dans sa nuit ? Je donnerais beaucoup pour l'apprendre. En fait, parfois je me dis que si j'ai créé Paltiel Kossover, c'était pour qu'il partage sa solitude.

8. Un cri pour les victimes d'aujourd'hui — et de demain.

De Buenos Aires, une lettre : une femme dont le fils a disparu me demande : N'y a-t-il vraiment rien à faire ? Ai-je frappé à toutes les portes, mobilisé tous les milieux influents ? Eh oui, madame. J'ai tout fait. Malheureusement ce n'est pas suffisant.

Je l'ai rencontrée l'année dernière, en cachette, quelque part dans la capitale argentine. J'y étais venu pour tenter de libérer un éditeur juif assigné à résidence à son domicile ; par la même occasion, j'avais découvert d'autres persécutions, d'autres formes d'oppression.

Elles sont des centaines et des centaines de mères et d'épouses dont les maris et les fils ont été enlevés par l'une des polices secrètes du régime. Disparus depuis sans laisser de traces. Le gouvernement conseille aux familles de les considérer comme morts... pour des raisons pratiques et humanitaires.

Ces hommes et ces femmes n'ont jamais été jugés ni condamnés. On ne sait rien de leur tourment, on ne saura rien de leur fin. Jadis, cela avait un nom qui faisait trembler : *Nuit et Brouillard !*

Le passé ne cessera donc jamais de nous hanter !

De Bangkok, un récit : un ami me raconte le sort des réfugiés cambodgiens que nous avions visités un peu avant le printemps. On les déplace d'un camp à l'autre, on cherche à s'en débarrasser. Ce fardeau humain pèse sur tout le monde ; si seulement on pouvait s'en défaire et dormir tranquille !

Entre-temps, c'est la faim qui ravage les enfants, c'est la misère qui obscurcit leur horizon.

En février, je m'étais posé la question : un peuple peut-il mourir ? Maintenant, je la formulerais différemment : allons-nous le laisser mourir ?

On dépense des milliards pour des armes nucléaires et d'autres pour des produits de beauté ; on se met à genoux devant l'autel du pétrole, on sombre dans l'indifférence ou l'hypocrisie. Aux Nations unies, on joue avec les mots pour divertir ou se divertir. Pendant ce temps, dans les pays pauvres, la pauvreté s'étend comme la peur. En Ouganda, des enfants amaigris s'éteignent dans les bras de leurs mères mourantes. Un peuple, encore un, entre dans sa nuit devant nos yeux.

Jamais je n'aurais cru que je parlerais un jour du présent avec tant de colère. Et de honte.

Copernic ? Un scandale qu'il ne faut pas isoler ; il fait partie d'un vaste plan d'action. Nous assistons à la remontée du nazisme partout dans le monde. Tous ces nazis qui défilent à Chicago, en Angleterre, en Allemagne ; tous ces svastikas qui noircissent les murs des synagogues ; et cette campagne indécente, obscène des pseudo-historiens pour « démontrer » qu'Auschwitz n'a jamais existé...

Il faudrait crier plus fort, hurler. Mais les militants sont fatigués. Fatigués de se battre. Le Biafra, le Bangla Desh, le

Congo, le Cambodge, l'Ouganda, les Goulags : il y a une limite, un moment où, par instinct de conservation, on détourne le regard.

Et pourtant, on n'a pas le choix. Ne pas choisir est aussi un choix. L'indifférence est un crime. Ne rien faire, c'est laisser faire la mort.

Quant à moi, j'en ai trop vu dans mon existence pour laisser faire. Il nous est impossible d'éviter notre propre souffrance, mais il nous appartient de lui donner un sens en combattant celle d'autrui.

Si nous nous battons pour les victimes d'aujourd'hui, c'est parce que celles d'hier ont été oubliées, abandonnées, livrées à l'ennemi. C'est en songeant au passé que nous aspirons à sauver notre avenir commun.

Il est en danger, l'avenir. Ma génération traumatisée s'en rend compte. Trop de haines s'accumulent dans trop d'endroits. Trop de doigts risquent d'appuyer sur le bouton nucléaire. Ne me dites pas que c'est impossible, impensable. Aujourd'hui plus qu'hier et, à cause d'hier, l'impossible devient vite possible.

Aurions-nous survécu pour voir notre témoignage tomber dans la poussière et la cendre ?

9. Le péril nucléaire.

On assiste actuellement à un réveil étrangement salutaire en Europe occidentale et même aux États-Unis : devant la réalité sinon l'imminence du péril nucléaire, des hommes et des femmes de plus en plus nombreux prennent conscience de leur impuissance. D'Oslo à Francfort, de Paris à Amsterdam, des jeunes gens en colère descendent dans la rue pour agir sur l'opinion et contraindre leurs gouvernements respectifs à reconsidérer des options stratégiques dominées par la terreur atomique. L'ampleur de la protestation nous rappelle les années cinquante : inspiré et guidé par Moscou, le Mouvement de la Paix dirigea ses activités contre la bombe, ou plus précisément contre la bombe américaine.

Aujourd'hui, la situation est différente. La jeunesse ne prend plus parti. Elle s'oppose à la menace d'où qu'elle vienne. Certes, les communistes exploitent la crise au profit de l'URSS, mais les jeunes contestataires, dans leur ensemble, n'y peuvent rien et n'y sont pour rien. Ils ne demandent qu'une chose : pouvoir mener une existence sans peur, loin de l'abîme, en deçà de l'apocalypse dont l'ombre rougeoyante recouvre déjà l'horizon.

Leur angoisse nous est familière ; elle nous touche. Les jeunes se rendent compte que l'humanité court à sa perte, et se savent incapables de l'arrêter. D'où leur colère. On leur demande d'étudier, d'obtenir titres et diplômes, de se procurer un travail, de fonder un foyer, on exige d'eux de croire en l'avenir et de l'imaginer humain et inscrit dans l'espoir plutôt que dans la malédiction, on leur dit d'œuvrer pour les générations futures, de maintenir vivant leur rêve — et pourtant ils ne sont pas aveugles, ils ne peuvent pas ne pas voir les signes, ils ne peuvent pas ne pas déchiffrer les signes de l'Histoire : à force de produire des armes nucléaires de plus en plus meurtrières, les nations finiront par s'en servir. Et alors l'aventure humaine connaîtra son aboutissement ultime : l'anéantissement sera à l'échelle de la planète. Et puisqu'ils le savent, ils le proclament. Ils crient, ils hurlent, et c'est naturel : on ne voudrait tout de même pas qu'ils soient indifférents !

Les générations précédentes l'étaient, et nous en avons subi les conséquences. Aujourd'hui, on le sait avec certitude. Si les grandes puissances libres avaient réagi plus vite, avec plus de fermeté, le régime hitlérien se serait écroulé après sa première agression. Et l'Histoire se serait épargné Auschwitz et Treblinka.

On le sait aujourd'hui : le mal est dans l'indifférence. On pourrait même dire que l'indifférence au mal lui permet de croître, de s'étendre et de s'enraciner. En période de crise, la neutralité n'aide que l'agresseur ; jamais ses victimes. La politique de non-intervention ne peut qu'être néfaste. Si la guerre nucléaire éclate un jour, ce sera à cause de notre apathie.

Or, cette apathie existait jadis, et elle existe encore. On se refuse à l'imaginer, tant la guerre semble redoutable. Et l'on préfère penser à autre chose, détourner les yeux et regarder ailleurs. L'arsenal atomique double d'année en année, la prolifération nucléaire s'étend sur plusieurs continents, mais nous agissons comme si nous étions en sécurité.

Paradoxalement, en littérature, le sujet est traité avec un réalisme quasi prophétique. On publie des romans qui « décrivent » le vol d'une bombe par un commando de terroristes ; d'autres vont plus loin : ils racontent l'*après-guerre* atomique.

Cela aussi me semble grave. Ce qu'on imagine finira bien par se produire. A force d'invoquer la guerre, elle finira par éclater. Voilà le dilemme : les nuages approchent et il est impossible de les arrêter par la parole ni par le silence.

J'avoue que cela m'effraie. J'ai assisté à un colloque de savants et de chercheurs qui essayaient d'imaginer « l'humanité en l'an 2000 ». La majorité excluait toute possibilité d'une conflagration atomique. Par contre, un autre colloque, tenu en Orient, avait émis un avis pessimiste selon lequel l'Occident vivrait ses dernières années...

Saurons-nous repousser la catastrophe ? Il appartient à

notre génération de répondre oui. Il nous suffit d'évoquer Auschwitz pour combattre les Hiroshima futurs. Le prochain holocauste ne pourra qu'être nucléaire, donc planétaire. Voilà pourquoi il doit être évité.

Pas facile, j'en conviens. Le désarmement unilatéral renforcerait la dictature d'en face. Reste le désarmement universel. Rêve utopique ? Pourquoi pas. Que la jeunesse communiste des pays communistes suive l'exemple de la nôtre, que des deux côtés, les peuples crient leur dégoût de la mort atomique, qu'ils dénoncent ensemble, et pour les mêmes raisons, le péril nucléaire, qu'ils s'opposent ensemble, et pour les mêmes mobiles moraux et humains, à l'anéantissement de la terre, et leur espérance commune deviendra promesse.

Vous me direz que cela est improbable ? Peut-être. Impossible ? Non. Les jeunes dissidents, les prisonniers politiques, les militants humanistes qui défient la police politique dans tous les pays totalitaires, ils sont là pour témoigner que, depuis la mort de Staline, l'empire communiste n'est plus le même : faisons-leur confiance ; ils le méritent.

IX. La mort d'un Juif errant

« ... Maîtrisant une trentaine de langues anciennes et modernes, récitant par cœur les Vedas aussi bien que le Zohar, il se sentait chez lui dans chaque culture, dans chaque rôle. Sale, mal rasé, il avait l'air d'un vagabond devenu bouffon ou vice versa. Il portait un chapeau minuscule sur sa tête immense ; ses lunettes épaisses, embuées, estompaient son regard... Pendant trois ans, à Paris, j'étais son disciple. A ses côtés, j'appris beaucoup sur les périls de la raison et du langage, sur les extases du sage et du fou, sur le cheminement mystérieux d'une pensée à travers les siècles et d'une hésitation à travers une multitude de pensées ; mais rien sur le secret qui le consumait ou le protégeait contre une humanité malade. »

C'est ainsi que j'ai tenté de décrire, sans le nommer, dans *le Chant des morts*, l'inoubliable Rav Mordechai Shushani. Si je le nomme aujourd'hui, c'est qu'il n'est plus parmi les vivants.

Un autre de ses disciples, Jean Halperin, m'informa de sa mort, il y a quelques années, à Montevideo. Je savais qu'il s'y trouvait. Nous étions en correspondance. Un jour, il m'invita à venir le rejoindre, à ses frais, pour reprendre mes études avec lui. L'idée me tenta et m'effraya. Les rapports entre Maître et disciple sont, sur un certain plan, plus dramatiques que ceux qui lient le père et son fils. Et sûrement plus complexes. A l'époque, j'écrivis : « Je tremble en songeant à lui, à Montevideo, où il m'attend et m'appelle ; j'ai peur de plonger dans sa légende qui nous condamne tous deux, moi au doute et lui à l'immortalité. »

Un jeune enseignant m'écrivit pour me raconter sa fin : assis sous un arbre, entouré d'étudiants, il faisait une conférence sur un sujet talmudique ; brusquement, au milieu d'une citation, il s'interrompit ; l'instant d'après, il n'était plus. Cela se passait un vendredi après-midi, peu avant l'arrivée du Shabbat. Pareille mort est considérée dans la tradition juive comme *Mitat neshika* ou mort douce : l'Ange vient, embrasse l'élu comme on embrasse un ami et l'enlève, lui épargnant ainsi toute souffrance et toute trace d'agonie.

Dans sa poche, on trouva une copie de la nouvelle que j'avais écrite sur sa légende.

D'autres l'ont aussi reconnu en dépit de mes efforts pour brouiller les pistes. Ses disciples d'un an ou d'une nuit me disaient : « Le Juif errant dans votre livre, c'est bien Rav Shushani, n'est-ce pas ? »

Je pensais avoir exagéré à dessein ; pourtant j'ai à peine décrit la vérité. Oui, il avait visité pays exotiques et contrées lointaines ; oui, il semblait intemporel sinon immortel ; oui, il se comportait comme un des *Lamed-vavnik* qui entrent en exil et choisissent l'anonymat avant d'offrir le salut à leurs semblables ; oui, il avait des pouvoirs ; oui, il fascinait, il exaltait, il troublait, il humiliait, il accomplissait en vous, pour vous, des changements dépassant l'entendement.

Un romancier yiddish m'a raconté :

Au début des années cinquante, je me trouvais à Boston pour une conférence. J'allais commencer mon allocution quand, dans la salle, un petit bonhomme, mal vêtu et d'apparence bizarre, se leva et se mit à crier qu'il avait quelque chose d'important à dire. Il monta sur l'estrade, s'empara du micro et déclara : « Mesdames et messieurs, je refuse de céder la parole à l'orateur. — Avez-vous perdu la raison ? lui demanda le président de la réunion. Qui êtes-vous ? — Qui je suis ne vous regarde pas ; ce n'est pas moi le conférencier ; mais lui. Savez-vous seulement qui il est ? Moi je le sais : un imposteur ; oui, en 1947 j'ai lu un article de lui dans un journal juif de Paris ; un article qui, en citant un Midrash, en a déformé le sens et la forme ; et cet homme ose venir parler en public ? c'est une honte ! » Les gens, dans la salle, le prirent pour un fou. Moi aussi. Il est vrai que, en 1947, j'avais vécu à Paris ; il est également vrai que j'écrivais dans un quotidien yiddish ; mais je publiais un article par jour ; comment pouvais-je me les rappeler tous ? Eh bien, Rav Shushani s'en souvenait. L'article en question, il le cita de bout en bout. Et je dus lui présenter mes excuses, et reconnaître mon erreur, avant qu'il me permît de parler sur le thème annoncé au programme. Des années plus tard, de passage à Montevideo, je fus invité par la communauté juive à faire une conférence sur la littérature juive moderne. Sur le point de commencer, je vis un personnage désormais familier au premier rang. Frappé de terreur, je fis une déclaration qui stupéfia mon auditoire : « Si vous voulez que je parle, demandez au Rav Shushani de sortir. » Comme les gens ne savaient pas encore qui il était, ils pensèrent que, moi, j'étais fou. Ils m'offrirent de doubler mes honoraires ; je refusai. Ils me supplièrent de ne pas créer de scandale ; un médecin voulut me faire avaler un tranquillisant ; je tins ferme. Quant au Rav Shushani, il observait la scène, les bras croisés, en souriant. Et ce soir-là, je m'en allai avec un sentiment de triomphe : Rav Shushani n'avait pas eu l'occasion de me coller.

Récemment, à Oslo, un ami d'enfance, Herman Kahan, me raconta qu'après la guerre, il vécut à Paris en attendant un visa norvégien :

— Souvent, je visitais une petite synagogue où j'ai fait la connaissance...

Comme il s'interrompait l'air rêveur, j'enchaînai à sa place :

— ... d'un personnage mystérieux qui savait tout sur tout le monde et qui s'appelait Rav Shushani.

— Comment savais-tu ? s'écria mon ami ahuri.

— Tous ceux qui l'ont rencontré se reconnaissent entre eux ; parfois un mot suffit. Une remarque. Une expression du visage.

— Il me donnait des cours de Talmud, dit mon ami. Gratuitement. Soir après soir, il me faisait asseoir à ses côtés et me montrait combien j'étais ignorant, inculte, bouché. Au début, ça m'énervait. Ensuite, je n'y prêtais plus attention. J'absorbais son enseignement et écartais ses flèches. Un soir, je lui ai demandé comment il gagnait sa vie : marchand d'or, m'a-t-il répondu. J'étais convaincu qu'il se moquait de moi ou qu'il se servait d'une image allégorique. Mais non, il vendait de l'or ; je l'ai vu de mes yeux. Quelques jours plus tard, il disparut ; une lettre de lui me parvint d'Australie, mais je ne l'ai plus revu ; ni lui, ni mon argent.

Et moi, quand l'ai-je vu pour la dernière fois ? En 1968-1969 à Paris. En sortant de mon hôtel, boulevard Saint-Germain, j'aperçus un vagabond discutant fébrilement avec une jeune étudiante, fort belle, qui essayait de lui vendre quelque revue. C'est lui, ai-je pensé. Non, ça ne peut pas être lui. Que ferait-il ici, alors qu'il habite Montevideo ? Ce vagabond lui ressemble, c'est tout. Pourtant, je fus plusieurs fois sur le point de l'aborder par acquit de conscience. J'allais lui demander : est-ce vous, Rav Shushani ? Mais je craignais que la belle étudiante ne pense que c'était elle, et non lui, qui m'intéressait. Je tournai autour d'eux pendant un temps interminable, et finalement, je regagnai mon hôtel en me consolant à l'idée que, de toute façon, ça ne pouvait pas être lui.

Ce même soir, à Strasbourg, Claude Hemmendiger laissa tomber une petite remarque :

— A propos, sais-tu que Rav Shushani a réapparu à Paris ?

C'était donc lui. Et il m'avait vu comme je l'avais vu. Pourquoi la mise en scène avec l'étudiante ? Aucune idée. Pour planter en moi un nouveau regret ? Les rencontres manquées, il adorait cela.

Ses disciples et admirateurs à travers le monde étaient prêts à rassembler des fonds pour payer les frais d'exhumation et de transfert de son corps à Jérusalem. Initiative compréhensible et généreuse mais non nécessaire. Dans ses affaires, on découvrit des trésors ; il avait été riche. Plus riche que la plupart de ses fidèles.

On découvrit également certains manuscrits qui, sans doute, contenaient son héritage philosophique. On l'imagine encore supérieur à son enseignement oral. Je dis qu'on l'imagine parce qu'on n'en est pas certain. Car on ne trouva personne qui fût capable de déchiffrer les manuscrits. Peut-être fut-ce là sa façon de nous léguer un mystère de plus. L'ultime.

Ayant en ma possession plusieurs lettres écrites de sa main, je voulus tenter ma chance. Je réussis à me procurer des copies d'une trentaine de pages. Je les lis, je les relis et je suis forcé d'abandonner : je ne les comprends pas. Peut-être n'y a-t-il rien à comprendre.

Quelques mois après sa mort, je reçus une lettre d'un rabbin qui se disait être le parent le plus proche du Rav Shushani : son neveu. Il vint me rendre visite, muni d'un dossier bourré de documents, lettres et photographies. Ainsi, je pus voir Rav Shushani en écolier, étudiant, orateur ambulant, grand voyageur, spéculateur à la Bourse, explorateur et mystificateur. Grâce au neveu — était-ce réellement son neveu ? —, je connus enfin la vérité sur mon Maître : d'où il venait, de quel milieu, qui l'avait inspiré et pour combien de temps. Mais... son neveu me fit jurer de n'en rien dire à personne : « En vous demandant, dit-il, de garder le secret intact, je suis convaincu de me conformer à la volonté de mon oncle. »

Voilà où j'en suis. Je ne puis rien ajouter. Même si tous ses disciples, partout, se mettaient à raconter comment il avait influé sur leurs destins, nous n'en saurions pas davantage ; en fait, nous ne saurons jamais qui il était ni d'où venait l'ombre qu'il recherchait ou qu'il fuyait, ni si c'était en raison de sa puissance ou de son tourment.

Une dernière chose : Rav Shushani n'était pas son vrai nom.

X. Le Juif et la guerre *

Une légende midrashique :
Ayant détruit le Temple de Jérusalem, vaincu les guerriers
et humilié le royaume de Judée, le puissant roi Nabuchodonosor de Babylone, hautain et impitoyable envers les hommes,
se sentit inspiré au point de vouloir chanter les louanges de
l'Éternel.
... Vint l'ange Michael qui le frappa au visage.
L'histoire s'arrête là. On ne nous dit pas si l'ange Michael,
dans son nouveau rôle de critique littéraire, réussit à faire
taire le roi, ni pour combien de temps, ni les raisons de ce
geste plutôt brutal. En vérité, on ne comprend ni l'ange ni le
roi. Après avoir privé Dieu de Son temple et incendié Sa cité,
pourquoi Nabuchodonosor tenait-il soudain à Le louer ?
Quant à l'ange, de quel droit s'interposait-il tout à coup entre
le roi mortel et son Dieu immortel ? Qu'un homme, n'importe
quel homme, s'apprête à louer le Seigneur, les anges auraient-
ils le pouvoir de l'en empêcher ? Nous y reviendrons plus tard.

A première vue, le thème semble facile, trop facile : le Juif
et la guerre ? On connaît la réponse : nous sommes contre,
tous les orateurs l'ont dit. Nous n'aimons pas la guerre, quelle

* Texte écrit après la guerre du Kippour de 1973

114

qu'elle soit, et la raison en est simple. Lorsque deux nations se battaient, c'était le peuple juif qui perdait, toujours. C'était tellement vrai qu'on en riait. On citait le prince qui menaçait son adversaire : « Si toi, tu frappes mes Juifs, je frapperai les tiens. » Anecdote, bien sûr, mais qui comporte sa part de signification tragique. En plein champ de bataille, partout, c'est à travers nous que se mesuraient les puissances grandes ou petites. Guerre de religion ou guerre de conquête, nous étions toujours happés par la tempête, toujours parmi les vaincus, du côté des victimes — et souvent victimes des victimes. Rien d'étonnant à ce que la paix fût devenue la plus brûlante des exigences, le plus exaltant des rêves.

Dans la tradition juive, la littérature de guerre surprend par sa pauvreté. En revanche, sa philosophie de la paix s'exprime sans cesse. Si le sceau de Dieu est vérité, Son Nom est paix. Dieu n'a créé l'univers, dit le Midrash, que pour faire régner la paix entre les hommes. Tout ce qui est écrit dans la Torah, dit encore le Midrash, doit contribuer à la paix. Les guerres elles-mêmes, la Torah les raconte pour inciter à la paix. Et encore : la paix vaut toutes les bénédictions car elle les contient toutes. Toutes les vertus que l'homme reçut de Dieu ont des limites, dit le Midrash, sauf deux : la Torah et la paix qui doivent être et sont illimitées. Et la Michna de Rabbi Eliézer ajoute : la paix est un devoir plus grand que les autres ; les autres devoirs viennent à l'homme qui doit les remplir seulement s'ils sont là, mais il ne doit pas activement les rechercher ; mais la paix, il est ordonné à l'homme de la poursuivre même si elle est hors d'atteinte. Et la Michna précise : l'homme qui accomplit tous ses devoirs mais n'a pas contribué à la paix, c'est comme s'il n'avait rien fait.

Songeant peut-être aux diplomates, le Talmud autorise le mensonge, si c'est pour la paix. Le Siphré va plus loin et déclare que, si c'est pour la paix, on a le droit d'adorer des idoles et même de flatter les impies. Le Midrash affirme nettement et définitivement, et je cite : « Tous les mensonges sont interdits, sauf ceux que l'on prononce pour la paix. » Vous vous souvenez sur quoi il se base : quand Jacob est mort, la Bible nous raconte que les frères de Joseph, tout à coup, ont eu peur : Joseph maintenant va se venger. Alors ils sont venus vers Joseph et ils lui ont dit : « Notre père nous a laissé son testament et il nous a fait dire de vivre en paix. » Or, quand vous lisez la Bible, rien de tel n'y figure. Commentaire : pour la paix, ils avaient le droit de mentir.

L'expression *gadol hashalom* (grande est la paix) revient fréquemment dans la littérature. La paix occupe partout la première place : *gadol hashalom ki hou ha'ikar* (l'essentiel en toutes choses c'est la paix). Shalom signifie *shalem*, entier ; c'est la paix qui confère aux choses et aux êtres l'unité. Briser la paix, c'est les priver de la dimension autre, de la dimension supérieure, éternelle, inhérente à la création.

Quand les hommes font la guerre, Dieu est leur première victime. C'est pourquoi les prophètes sont toujours à tonner contre la politique de guerre de certains rois ; les sages n'en finissent pas de conseiller la prudence. La patience, la modération, le pacifisme et la foi en Dieu. La guerre n'est jamais bénédiction pour Israël. Cette bénédiction-là, c'est Esaü qui l'a reçue. Pour Israël, la guerre est toujours présentée comme une aberration, le reniement du nom de Dieu. Aussi, paradoxalement, certains textes essayent-ils d'associer Dieu aux guerres des hommes : puisqu'elles existent, autant les rattacher au Créateur de *tout* ce qui existe, qu'Il daigne en revendiquer, Lui, la responsabilité : *hashem ish milkhama* (Le Seigneur est un homme de guerre). Si Dieu, pour des raisons qui nous échappent, veut nous imposer la guerre, eh bien, qu'Il y participe. Participation absolue chez le roi Ezéchias et Sennachérib, et partielle chez Moïse. C'est Dieu qui bat les armées déchaînées de Pharaon, Moïse n'a fait que prier ; et c'est Dieu qui se charge de décimer les légions du roi Sennachérib pendant qu'Ezéchias dort paisiblement sur sa couche dans Jérusalem assiégée.

Le Midrash le dit explicitement : les batailles d'Israël, c'est au ciel qu'on en détermine l'issue. Citons le Talmud Yeroushalmi : « Chaque fois que le peuple d'Israël va en guerre, le tribunal céleste siège pour décider s'il rentrera vainqueur ou vaincu. La puissance, le courage ou les qualités guerrières des combattants ne jouent là aucun rôle ; leur foi en Dieu importe autant sinon plus que leur comportement au front. »

On se souvient de l'image de Moïse, les bras levés, assistant à la bataille contre Amalek : tant qu'il montrait le ciel, Israël gagnait ; dès qu'il désignait la terre, Israël perdait. Commentaire du Talmud : « Tant que le peuple juif plaçait sa foi en Dieu, il avançait ; dès qu'il oubliait de regarder le ciel, il reculait. »

La force armée, Israël n'en aurait guère besoin, à en croire les commentateurs pacifistes du Talmud. La force physique, c'est l'affaire des païens ; Israël préfère la force morale, spirituelle — or, l'une et l'autre, pendant longtemps, semblaient incompatibles.

Lorsque Dieu donna la Torah à Israël, raconte un texte, les autres peuples s'en réjouirent. Maintenant, disaient-ils, nous pourrons en venir à bout. Spirituellement invincible grâce à la Torah, Israël serait devenu physiquement vulnérable. Une légende amusante raconte que Resh Lakish, célèbre gladiateur et champion de jeux, devint faible au moment où il décida d'étudier la Torah et d'obéir à ses lois. Ajoutons, au nom de la vérité historique, que Resh Lakish décida de changer son mode de vie à cause d'une femme très belle, la sœur de Rabbi Yonhanan.

Il reste que la Torah est censée affaiblir physiquement le Juif tout en le rendant spirituellement immortel. Certes, il y a aussi les exploits guerriers de Samson, Saül, David, Judas Maccabée, Bar Kokhba ; on les raconte, on en est fier, mais on ne les donne pas en exemple. On les aime, bien sûr, mais ils demeurent exceptionnels, inaccessibles. On chante les Psaumes de David, mais on est un peu gêné par son côté militaire ou militariste. Pauvre roi : on le préfère berger. C'est lui qui a conquis la cité de Dieu, mais c'est son fils, Salomon, qui bâtira le Temple. David, nous dit-on, a versé trop de sang, même s'il n'avait pas le choix, même si c'était pour une cause juste. Le Talmud ne se gêne pas pour lui reprocher certaines batailles jugées pas absolument nécessaires. Je cite le Talmud : « Sur les dix-huit guerres que livra David, treize seulement furent pour le bien d'Israël ; les autres, il les fit pour sa propre gloire. »

On admire le courage des Maccabées, mais la fête de Hanouka symbolise le miracle divin autant que la bravoure des Hasmonéens. Nos chefs de guerre sont rarement des saints : les deux termes, mis l'un à côté de l'autre, relèvent du blasphème.

Voilà une des beautés de la tradition juive. Elle ne reconnaît aucune guerre comme sainte ; la guerre ne peut ni ne doit servir de moyen pour atteindre à la noblesse ou à la sainteté. Tuer, même si c'est pour une cause supérieure, diminue l'homme. Le judaïsme n'a jamais conféré une auréole de sainteté à ses héros militaires. Un Saint Louis serait, pour nous, tout simplement inconcevable.

Aux yeux de la tradition juive, la guerre n'est jamais salutaire. Il faut, avant de la faire — c'est une loi —, tout tenter pour l'éviter. Josué, avant de lancer sa campagne en terre de Canaan, envoya aux chefs du pays trois lettres ayant pour but d'éviter l'effusion de sang. La loi est formelle : la guerre ne doit être que la phase ultime des tentatives en vue d'un règlement. Notons en passant que les lois sur la guerre, peu nombreuses, ont presque toujours eu comme but pratique d'écarter son spectre. Maïmonide y insiste : Si l'armée juive encercle l'ennemi, elle doit lui laisser la possibilité de s'échapper, et non le contraindre à se battre. Éviter la guerre vaut mieux que la gagner.

La première guerre de l'Histoire opposait deux frères, Caïn et Abel. Autrement dit, la première mort de l'Histoire fut un meurtre provoqué par une guerre, et celle-ci fut fratricide, comme elles le sont toutes ; et Dieu n'y était pour rien. Ce n'est pas Dieu qui donna l'ordre à Caïn de tuer, ni à Abel de se faire tuer. Projet d'homme, impulsion d'homme ; cette guerre insensée, absurde, qui, de deux frères, fait de l'un l'assassin de l'autre, on n'en veut pas. Dans le texte, on rencontre fréquemment le terme « frères ». Ne sait-on pas que Caïn et Abel sont frères ? On le sait, mais l'Écriture y insiste pour nous rappeler une vérité bien banale et pourtant souvent oubliée : Qui tue, tue son frère. L'histoire de Caïn et Abel est une histoire laide, car toute guerre est laide ; il y a du calcul froid dans la guerre, de la démence aussi ; c'est le triomphe de l'instinct, de l'irrationnel. C'est la victoire de la mort.

Lisez l'histoire du premier génocide et vous verrez que la guerre, c'est le mal, le chaos, la confusion à l'échelle de l'absolu. Elle nie l'avenir et ramène l'homme à ses premières ténèbres. Prétexte commode et suprême : l'homme invoque la guerre pour abolir toutes les lois, pour offenser, mentir humilier, tuer. Du coup, il est permis de violer les contrats sociaux et les commandements divins. On procède à une vaste simplification : d'un côté, les bons, de l'autre les impies ; les uns vivront, les autres périront.

Pour faire la guerre et la faire bien, l'homme déshumanisé met le masque de Dieu sur son visage ; et cela, comment la tradition juive pourrait-elle y consentir ?

Cela ne signifie nullement que les Juifs n'ont jamais fait la guerre. Les apologies rétroactives ne sont pas de mon ressort.

je ne les aime pas. Nous n'avons de comptes à rendre à personne, ni de leçons à recevoir de personne. Prétendre que nos ancêtres étaient tous des justes ou des martyrs serait contredire notre tradition qui fait d'eux des êtres humains ; leur grandeur est humaine, leur faiblesse aussi. Lisez le Livre des livres, d'Adam à Abraham, de Joseph à Moïse : ce sont des hommes comme vous et moi. Moïse n'était pas un surhomme et Abraham non plus ; quant à Joseph, disons simplement qu'il était le premier politicien de l'histoire juive.

Nos ancêtres, souvent, doivent se battre pour survivre. Ce serait si simple pour un Abraham ou un Moïse de se croiser les bras et de se dire, en disant à Dieu : « Puisque Tu *es,* et que toute la puissance du monde est soumise à la Tienne, écrase donc l'ennemi pour nous. » Non, ce serait trop facile. Ils doivent livrer bataille eux-mêmes ; d'ailleurs, ils en retirent un sentiment de culpabilité, avant et après les combats, mais pas pendant.

Prenons Abraham. Abraham vient de remporter des victoires sur tous les rois de la région. Dieu, au moment de conclure une alliance avec lui, lui dit : *Al tira* (ne crains rien Abraham). *Anokhi maguen alekha* (je te protégerai). Mais, pourquoi ces paroles rassurantes ? Abraham n'est-il plus capable de se défendre tout seul maintenant, lui qui a vaincu tous les rois ? Si, dit le Talmud, Abraham est capable de se défendre, mais Abraham victorieux est envahi de doutes. Il a tué des hommes ; comment savoir si, parmi eux, il n'y avait pas des justes ? Alors, pour le rassurer, Dieu lui dit : Ne crains rien Abraham, tu n'as fait qu'arracher les épines du jardin royal. Ne crains rien, Abraham ; c'est toi qui t'es battu, mais c'est Moi qui t'ai fait vaincre.

Le même remords, le même genre de remords mais anticipé, on le retrouve chez Jacob à Ma'hanïm. Avant la rencontre de Jacob avec Esaü, le texte n'a pas honte de le dire, Jacob a peur. Rashi, élégamment, se hâte de commen-

120

ter : Jacob a doublement peur : d'un côté, il a peur de tuer ; et, de l'autre, de se faire tuer. Car Jacob sait que l'on ne tue jamais impunément. Qui tue l'homme tue Dieu en l'homme. Par chance, il est assailli par un ange avant de l'être par Esaü. Qui est l'ange ? Est-ce seulement un ange ? Le texte dit *ish* (un homme) ; mais Jacob parle de Dieu. Et lui devait savoir ! C'est certainement un être intérieur, intériorisé. Du combat, Jacob émerge victorieux ; mais cette victoire, victoire pure car elle est pure de mort, pure d'humiliation, n'implique point la défaite de l'adversaire.

Ainsi, l'histoire d'Israël nous apprend que la vraie victoire de l'homme n'est pas liée à la défaite de l'ennemi. La vraie victoire de l'homme est toujours une victoire sur lui-même. Bien sûr, tout cela est bien beau mais utopique. Le combat intérieur est un luxe ; dans la vie, les guerres sont autrement plus réelles et sanglantes — et la Bible en est pleine ; pourquoi nier ces guerres contre tribus et peuplades sans nom et sans nombre ? Il fallait défendre Israël. Oui, il fallait défendre ce premier peuple qui s'est libéré lui-même de l'esclavage. Il fallait tuer pour survivre. Oui, il fallait tuer Amalek ; je le sais, c'est une loi cruelle : tue le tueur avant qu'il ne te tue. Loi cruelle, oui ; mais la même loi ordonne : fais-toi tuer plutôt que de tuer. Deux impératifs contradictoires. Vous connaissez la réponse : cela dépend de la situation et de l'ennemi.

Mais, notons-le bien : nous avons commencé notre aventure dans le monde par une vision du réel pour aboutir à l'humanisme ; d'autres religions et d'autres traditions ont commencé par prêcher l'amour et ont abouti au massacre des victimes innombrables. Bien sûr, Saül a eu tort de ménager Agag, roi d'Amalek, et le Talmud le dit : « Quiconque manifeste de la pitié envers l'homme cruel finira par être cruel envers les hommes charitables. » Saül a eu tort, mais nous l'aimons et la tradition l'aime, parce qu'il n'a pas tué, parce qu'il a osé ne pas obéir, et qu'il a laissé Agag vivant. Personnage tragique, Saül, parmi les plus beaux de notre histoire, car il est victime de sa générosité, de son humanisme.

Si la guerre occupe une grande place dans la Bible, elle ne figure que rarement, et sur un plan secondaire, dans le Talmud. Peu de sujets préoccupent moins les auteurs de la littérature halachique, et c'est compréhensible. Rédigé par des pacifistes, disciples et successeurs de Rabbi Yonhanan ben Zakaï, le Talmud rejette la guerre comme solution d'un conflit.

La guerre est une calamité, pas une solution. Plus tard, exilé et opprimé, le Juif n'avait pas l'occasion de faire la guerre ni donc l'obligation d'y adopter une conduite selon la loi juive. Le Talmud et, après lui, Maïmonide discutent des catégories de guerres : *milkhemet khova* ou *milkhemet reshout*. La première, illustrée par la campagne de Josué, est comme imposée du dehors par un ennemi implacable. Quant à la seconde, elle fut celle de David. Et plus encore celle de Yanaï qui tendait à élargir les frontières.

Qui a le droit de proclamer l'état de guerre ? S'il s'agit d'une guerre défensive, la question ne se pose pas : c'est l'agresseur qui en prend la responsabilité. Le problème ne se pose vraiment que s'il s'agit d'une guerre politique où la survie du peuple n'est pas en cause. Là, on le sait, c'est le roi qui prend la décision, mais il doit la soumettre à l'Assemblée plénière du Sanhédrin. Aux soixante et onze juges de décider si la guerre est juste, justifiée ou non : à eux aussi de décider, selon le Siphré, si le pays doit ou non se lancer dans une guerre préventive. Selon la Mekhilta, une guerre préventive est d'ailleurs toujours illégale.

Nous savons que, pour la guerre juste, c'est-à-dire celle où la survie du peuple est en jeu, la mobilisation est totale. On rappelle le fiancé de sa chambre nuptiale et la fiancée sous le dais. Mais à la guerre de *reshout*, seuls les volontaires participent. Le prêtre doit le signaler en termes précis et clairs : sont dispensés du service militaire les jeunes mariés et ceux qui ont bâti leur maison sans l'avoir encore habitée, ceux qui ont planté des vignes sans y avoir goûté — et ceux qui ont peur. Commentaire superbe de Rabbi Yonhanan ben Zakaï : Voyez donc la générosité de la Torah, le lâche qui se dérobe au combat et le jeune marié bénéficient des mêmes droits ; pourquoi ? Pour ne pas embarrasser le lâche. Eh ! oui, nous devons la compréhension même au lâche. Et Maïmonide et Nahmanide sont d'avis que même les pacifistes, les objecteurs de conscience doivent être dispensés de la guerre ; et qui encore ? Les sentimentaux.

Dans le *Sepher Hassidim*, nous notons cette loi : « Si l'ennemi attaque un Juif et s'il est seul, le Juif doit se défendre ; mais il ne doit pas se défendre si l'attaque est menée par dix hommes alors que lui, le Juif, est seul. A quoi bon ? » Plus loin : « Si un ennemi armé s'en prend à un Juif non armé, le Juif non armé aurait tort de se défendre. » Ce qui explique le comportement de beaucoup de Juifs pendant la dernière catastrophe ; Maïmonide d'ailleurs avait codifié une loi qui, au temps de la Nuit, nous aurait beaucoup servi : « Que l'ennemi assiège votre communauté et qu'il exige que vous lui remettiez l'un des vôtres, ne le faites pas ; plutôt mourir tous ensemble, plutôt périr en commun que de trahir la foi que tout individu place en sa communauté. »

Cela dit, en dehors des exemples cités et de quelques autres, le Talmud traite de la guerre avec beaucoup de réticence. Pourquoi cela ? Pour ne pas provoquer le sort, pour ne pas tenter le malheur ? Vous savez qu'on n'a pas le droit, sauf nécessité, de laisser une tombe ouverte dans un cimetière — et cela, afin de ne pas « tenter l'ange de la mort », de peur qu'il ne dise : Ah ! il y a une tombe ici ; je me chargerai de la remplir.

On trouve par contre des lois sur le deuil, parmi les plus approfondies, les plus raffinées qui existent. Mais qui les étudie en dehors des personnes qui sont en deuil ? Et pourtant, elles sont belles, elles sont émouvantes, elles sont humaines. Les sages du Talmud y ont investi toute leur sagesse, toute leur compassion. Chaque situation y est prévue, toute possibilité envisagée. On nous dit que faire et quand ; quoi dire ou taire, et jusqu'à quand. Les lois sur le deuil individuel sont infiniment plus nombreuses et mieux étudiées que les lois sur la guerre, la guerre qui, pourtant, fait porter le deuil dans plus d'une famille et dans plus d'une communauté.

Pourquoi en est-il ainsi ? Parce que la tradition rabbinique se veut opposée au métier des armes ? Non. Rabbi Shimeon bar Yokhaï semblait plutôt aimer les rebelles qui prêchaient l'insurrection armée. Rabbi Akiba a couronné Bar Kokhba comme messie. Les disciples de Shammaï étaient des militants pleins de ferveur guerrière. Et Maïmonide, lui, disait que, si nous sommes en exil, c'est aussi parce que nos ancêtres ont oublié l'art de faire la guerre.

La réticence du Talmud, il faut tenter de l'expliquer différemment. Elle est inhérente à l'attitude juive profonde envers la guerre. La guerre, c'est le désastre ; la guerre, c'est le mal. S'il faut faire la guerre, il faut la faire bien ; et nous savons la faire bien. Mais il ne faut s'y résoudre que lorsque l'on n'a pas le choix ; et même alors — là réside la beauté de la tradition juive —, même alors, nous n'avons pas le droit de la glorifier, pas le droit de conférer à la guerre un sens qui la dépasserait, une dimension qui l'élèverait. La guerre n'élève pas. On n'a pas le droit de chanter la guerre.

Le premier Juif à faire l'éloge des guerriers et de la guerre était un Juif complexé, honteux, mal assimilé : Flavius Josèphe. Les mêmes événements racontés dans le Talmud sont noyés de tristesse et non d'orgueil. Qu'ils tuent ou qu'ils tombent, nos héros font mal, nous font mal.

Binefol oyvèkha al tisma'h, dit Salomon (ne te réjouis pas en voyant tomber ton ennemi). Principe qui demande à être généralisé. Interdiction de réjouissance en temps de guerre. Pas de défilé, pas de parade, pas de concert. Lorsque les Juifs traversaient la mer Rouge, dit le Midrash, les anges se mirent à chanter des louanges, et Dieu les arrêta d'un mouvement d'humeur : Quoi ! *Ma'assei yadaï tov'im bayam veatem omrim shira!* (Mes créatures se noient, et vous avez la tête à chanter !) Bien sûr, c'est l'ennemi qui tombe   mais l'ennemi aussi est Ma créature.

La guerre ? Oui, si elle s'impose. L'éloge de la guerre ? Non. Se battre ? Oui — et se battre avec courage et se battre avec toutes les armes et toute la puissance que nous possédons. En faire un idéal ? Non.

Voilà pourquoi il existe si peu de manuels militaires dans notre littérature rabbinique. Après tout, on a préservé tout le reste. Or, nous savons que nos guerriers savaient se battre : les Maccabées, les Baryonim, Bar Kokhba. Les Romains en ont fait l'expérience. Et pourtant ces manuels ont disparu. A ma connaissance, il n'en existe qu'un seul : quelques passages dans un Manuscrit de la mer Morte, *Milkhemet bneï or ouvneï khoshekh* (La guerre des fils de la lumière contre les fils de l'obscurité). Un Midrash note qu'une tribu de vieillards est revenue de Babylone et rapporta un « livre de guerre », mais le Midrash omet de mentionner son sort. Perdues, les traces de ce livre — et cela aussi est caractéristique.

Dans notre littérature, nous aimons les sages, non les militaires. On parle de *kidoush hashem* (sanctification du Nom), non de combats ; puisqu'il fallait mourir, autant mourir pour Dieu. Croisades, pogromes, persécutions — depuis Hadrien que cela dure. Les tueurs tuaient, les égorgeurs égorgeaient à quelques pas des autels ; et dans les Maisons d'étude, vieillards et enfants apprenaient les lois et coutumes du Temple en ruine. Loin de Jérusalem, nous vivions dans Jérusalem. Le rêve nous protégeait de la réalité, l'imagination nous protégeait de la violence. Notre arme : la mémoire. Notre refuge : ne pouvant agir sur le présent, on s'intégrait dans le passé. Pour vivre, survivre, revivre, pour ne pas voir les tueurs, pour n'avoir aucun contact visuel avec eux, on plongeait dans la mémoire ancienne où le royaume demeurait intact. Comportement typique de victimes ? Non. Nous étions des victimes mais d'un ordre singulier, à part. La victime s'imagine souvent le vainqueur couvert de sang et de gloire. Pas dans la tradition juive. Nos victimes manquaient de cette imagination-là. Leur imagination leur montrait un monde où il n'y a ni vainqueur ni vaincu, un monde où l'homme, pour s'accomplir, remporte les victoires sur le mal et même sur Dieu, mais non pas contre l'homme.

C'est un fait que seuls des esprits bornés et amers disputeront. Je le dis, moi, avec fierté : lorsque parfois les rôles étaient renversés, les Juifs restaient juifs et refusaient de devenir bourreaux. Finalement, Saül n'a pas exécuté Agag. Humain jusque dans ses hantises, ce roi tragique nous est proche : mieux vaut recevoir la mort que la donner.

Dans *Shévet Yehouda,* dans *Yaven Metzoula,* dans *Emek habakha* — ouvrages qui relatent la somme de nos souffrances à travers les âges —, nous trouvons çà et là des épisodes surprenants ; parfois, des Juifs résistaient à l'envahisseur, se battaient vaillamment avant de succomber. Mais ils restaient juifs, c'est-à-dire fidèles à une certaine idée de l'homme d'Israël. Un pogrome organisé par des Juifs, je n'en connais pas d'exemple. Aucun pogrome dans nos annales. Les grands tueurs de l'histoire, les Pharaon, les Néron, les Chmelnicki, les Gengis Khan, les Hitler, ce n'est pas de nos rangs qu'ils sont issus. C'est là notre fierté.

A la haine, Israël n'a pas répondu par la haine ; l'ennemi n'a pas réussi à réduire ses victimes juives à son image. Les guerres anciennes et modernes d'Israël le prouvent. En 1967 comme en 1973, à Massada comme à Jérusalem, le guerrier juif fait preuve d'humanité. Certains d'entre nous s'y trouvaient et nous pouvons en témoigner. Peu ou pas de brutalité, d'exécutions sommaires. Souvenez-vous du discours qu'Itzhak Rabin a prononcé sur le mont Scopus au lendemain de la guerre des Six Jours. Partout le Juif accueillait la guerre comme une malédiction, non comme une aventure excitante, romantique ou mystique. Bar Kokhba n'a pas décapité les prisonniers capturés. Ses descendants non plus. Le livre *Sia'h Lo'hamim* fut écrit par des soldats victorieux, et nul ouvrage n'inspire ni n'évoque pareille horreur de la guerre.

Il est facile de détester la guerre quand on est vaincu, mais, en Israël, ce sont les vainqueurs qui la maudissent. Et cela explique l'absence totale de propagande martiale dans notre tradition : on ne hait pas l'ennemi, c'est la guerre que nous détestons. La guerre est l'ennemi. Au point que cette horreur de la guerre n'a pas manqué d'intriguer nos ennemis à travers les âges. Ils nous massacraient, et nous nous obstinions à ne pas faire comme eux ; négligeant notre force, ils semblaient fascinés par notre faiblesse. Amalek s'attaqua aux vieillards, aux malades, aux enfants — et aussi Pharaon et Haman et Hitler. Paradoxe, parmi tant d'autres, qui illustre la démence de l'ère nazie : l'ennemi exterminait les faibles mais souvent laissait en vie les adultes pour faire travailler, prétendument, des hommes et des femmes capables, le cas échéant, de se battre contre lui. On aurait dit qu'il savait la puissance que représentent les enfants ; nous disions que le monde entier subsisterait grâce à eux. C'est à cause d'un enfant juif, dit le Midrash, que Dieu libéra les Juifs d'Égypte plus tôt que prévu. Le Midrash raconte : Un jour, Pharaon ordonna que des enfants juifs fussent emmurés vivants dans les pyramides. Alors, l'ange Michael s'empara de l'un d'eux et vint le présenter à Dieu, et Dieu, bouleversé, prit la décision de mettre fin à l'exil.

Souvent, je relis cette légende et j'essaye de comprendre. Un enfant juif avait réussi à émouvoir Dieu. Mais la mort d'un million d'enfants juifs L'a laissé indifférent. J'essaye de comprendre et je ne comprends pas.

A ce propos, il serait peut-être utile d'étudier un fait qui, en apparence, contredit ma thèse sur l'attitude juive devant la guerre et l'ennemi.

Les témoins et chroniqueurs du ghetto de Varsovie racontent que, le soir du 19 avril 1943, le soulèvement à peine commencé, les combattants juifs se félicitaient, s'embrassaient en riant, en pleurant de joie : la vue des cadavres allemands les remplissait de fierté et d'allégresse. Eh bien, ne les jugez pas trop vite. Il ne faut pas juger les victimes ni les héros de là-bas. Ces garçons et filles qui, en ces jours-là, portaient le destin juif sur leurs épaules, n'ont pas renié leur tradition. Ne voyez pas dans leur comportement une soif de vengeance ou l'assouvissement de bas instincts. Leur extase momentanée n'avait rien à voir avec les hommes gisant dans leur sang ; leur motivation était autre : depuis des mois et des années, les Allemands se pavanaient dans les ruelles du ghetto en dieux invincibles et immortels ; c'était l'impression que, consciemment, délibérément, ils tenaient à produire, et, à force de subir la peur et la faim, à force d'absorber la mort, les Juifs, parfois, en étaient venus à y croire. Eh oui, dans le royaume de la Nuit, il était facile de conclure que Dieu était l'ennemi. Pis, que l'ennemi était Dieu.

Et voilà que, le 19 avril 1943, le tueur est blessé, hurlant de douleur, agonisant, aussi vulnérable, aussi mortel que ses victimes. Ce soir-là, après le premier engagement, les Juifs se rendirent compte que le tueur n'était pas Dieu, qu'il était humain, mortel. Voilà pourquoi ils donnèrent libre cours à leur enthousiasme. Ils étaient heureux, non seulement d'avoir tué l'ennemi, mais aussi de l'avoir démasqué et démythifié.

Mordekhaï Anilevitch, ce grand héros de l'Histoire, et ses camarades, nous le savons aujourd'hui, se battaient non pour vaincre — ils ne pouvaient pas vaincre dans un monde qui les niait —, ils se battaient pour déposer devant l'Histoire. Ils l'ont proclamé dès le début et jusqu'à la fin. Emmanuel Ringelblum et ses collaborateurs remplissaient la même tâche par d'autres moyens. Ne pas oublier, ne pas laisser oublier, empêcher l'ennemi d'écrire l'histoire de ses victimes. C'était l'obsession commune à tous les habitants des ghettos, à tous les hommes des camps. Ils tenaient à raconter l'expérience afin qu'elle serve d'avertissement, d'exemple. Ils tenaient non pas à la vie mais à la survie, pour sauvegarder l'écho d'un seul cri, le reflet d'une seule larme, l'étincelle, fût-elle unique, de cette flamme immense qui, la nuit, dévorait tout un peuple, un peuple ivre de chant, ivre d'humanité. Il y avait des historiens dans les ghettos, des chroniqueurs dans les camps, c'étaient des morts qui écrivaient contre la mort ; c'était leur manière de s'assumer, libres et immortels pour une heure, le temps d'une prière, d'une phrase, avant de disparaître.

Dans l'enceinte des *Sonderkommando* à Birkenau — même là —, il y avait des témoins. Ces hommes, plus malheureux que tous les autres, plus à plaindre aussi, avaient atteint le sommet de la démence et les limites de la souffrance : leur tâche était de brûler leurs frères. Jour après jour, nuit après nuit, ils alimentaient les flammes. En général, ils ne vivaient que deux mois ; puis, à leur tour, on les brûlait. Et pourtant. Je ne saurai jamais comment, mais ils ont trouvé la force de vouloir déposer aussi. Ils se mirent à écrire, à décrire, à raconter. Je dois dire que, pendant des années, j'avais entendu qu'il existait des documents de ce genre ; je n'y ai pas cru, je ne pouvais pas croire que ces hommes avaient encore assez de foi en eux et en nous pour transformer une expérience de cette nature en paroles. On a retrouvé certains de ces documents sous les montagnes de cendre, à Birkenau, et, depuis des mois, je les lis et les relis et je sens la folie, la folie qui me guette. Avec le temps, j'ai commencé à apprendre qui étaient ces auteurs ; maintenant, je les connais. J'entends leurs voix, je sens leurs regards.

Il y avait parmi eux un juge rabbinique nommé Aryé-Leib Langfus. Zalmen Lewenthal. Zalmen Gradowski. Le manuscrit de celui-ci comporte plusieurs débuts, des avertissements au lecteur qu'il ne comprendra pas, qu'il ne pourra pas croire... Scènes frémissantes d'horreur, bouleversantes de vérité ; voilà la fin de telle communauté, voilà la mort de telle lignée. Ils assistaient à la fin du monde. A bout, ils avaient pris la décision d'organiser une insurrection armée. Pour raconter. Ils allaient perdre le combat, ils le savaient. Mais si un messager réussissait à s'évader, le sacrifice était justifié. Le signal devait venir de la résistance générale du camp principal ; et il tardait à venir. Les chroniqueurs s'impatientaient : ils n'en pouvaient plus. Au temps de la déportation des Juifs hongrois, les fours fonctionnaient à plein rendement : 10 000 cadavres par jour. Qu'attendons-nous ? demandaient les membres du *Sonderkommando*. Patience, leur répondait-on du camp principal. Alors, ils continuaient d'écrire.

Maintenant, grâce à eux, nous connaissons les détails. Le comportement des victimes déjà entassées dans les chambres à gaz : maintenant, nous le connaissons. Certains criaient, d'autres se recueillaient, d'autres encore se jetaient sur les assassins pour les maudire, d'autres encore se mettaient à prier, à chanter. Commentaire de Zalmen Gradowski : Serai-je encore capable de pleurer un jour ?

Je le dis : ce sont les pages les plus vraies et les plus graves que j'ai lues de ma vie sur cette période, et je crois les avoir toutes lues.

Le chroniqueur anonyme qui signait « Jara » et qui a été identifié ensuite comme le juge rabbinique Aryé-Leib Langfus raconte : ce jour-là, les convois arrivaient de Sosnowicz et de Bendin. Un vieux rabbin se trouvait parmi eux. Venant de si près, tous savaient qu'on les menait à la mort. Le rabbin entra dans la baraque où il se dévêtit, et puis dans la chambre à gaz en chantant et en dansant. Il eut le privilège de mourir pour sanctifier le nom de l'Éternel.

Quand j'ai lu cela, j'ai pris ma tête entre mes mains et j'ai pensé : je ne comprends pas, comment pouvait-il chanter ? Il était devenu fou !

Deux Juifs hongrois interrogèrent un homme du *Sonderkommando :* Faut-il réciter le *Vidouï,* la confession qu'on dit avant de mourir ? L'homme répondit : Oui, il le faut. Alors, ils tirèrent de leur poche une bouteille d'alcool et burent avec joie. *Le'haïm !* A la vie, disaient-ils. Ils demandèrent à l'homme du commando de se joindre à eux, de boire avec eux. Envahi de honte, l'autre refusa. Mais ils insistèrent en disant : Tu dois boire, tu dois venger notre sang, tu dois vivre, donc : A la vie ! *Le'haïm !* Et ils répétèrent à plusieurs reprises : *Le'haïm,* tu comprends, *Le'haïm !* Il but, il but avec eux et, bouleversé, il s'enfuit hors de la baraque. Il se mit à pleurer et il regardait les flammes qui montaient, montaient, et sanglotait : Frères Juifs, Juifs mes frères, nous avons brûlé assez de Juifs, il faut tout détruire. Peu après, lui-même fut tué. Et brûlé.

J'avoue que, depuis que j'ai lu ces documents, j'éprouve des difficultés à dire *Le'haïm !* Des difficultés plus grandes, pendant le Shabbat ou pendant les fêtes, à lever mon verre. J'ai envie de ne plus prier. Est-ce là la solution ? Je ne le crois pas. Ce serait un aveu de défaite que de cesser de boire « à la vie », ou de cesser de vivre ou de croire en la vie. Je pense qu'il faudrait plutôt parvenir à boire tout en se souvenant, et c'est là une des leçons de notre histoire : la souffrance ne confère à l'homme aucun privilège, tout dépend de ce qu'il en fait ; s'il l'utilise, comme d'autres l'ont fait, pour propager la souffrance, la sienne est mensongère. Nous, nous avons essayé d'utiliser cette souffrance pour aider autrui. Et c'est là où l'histoire juive devient universelle. Elle reflète ce qui l'entoure et l'affecte. Plus le Juif est juif, et plus il sert ceux qui, autour de lui, ne le sont pas.

Nous l'avons toujours su. Maintenant, c'est devenu une certitude, car quelque chose a tout de même changé sous le soleil. Une guerre contre les Juifs ne se limiterait plus aux seuls Juifs. Maintenant, nous savons que toute haine est haine de soi, toute destruction du Juif s'achève en autodestruction ; ce qui arrive, arrive d'abord au peuple juif. L'avenir du monde est inscrit dans la réalité juive présente. Si le monde, une fois de plus, essaie d'attaquer Israël, de nier Israël, de tuer Israël, ce sera la fin du monde. Israël doit vivre pour que le monde vive. Je suis contre la guerre et pour l'humanisme, mais, comme Juif, appartenant à la génération traumatisée qui est la nôtre, je suis totalement solidaire de ce qui se passe en Israël. Je suis avec Israël ; et ce qu'Israël fait, Israël le fait en mon nom aussi.

Connaissez-vous le poème prophétique de Ouri-Zvi Grinberg ? Le poème s'intitule *Ils ont assassiné leur dieu*. Il décrit Jésus apparaissant dans un village, quelque part en Europe centrale ; les yeux écarquillés, Jésus se promène à la recherche de ses frères. Ne les trouvant pas, il interpelle un passant :

— Où sont les Juifs ?

— Tués, dit le passant.

— Et leurs foyers ?

— Volés, dit le passant.

— Et leurs synagogues ?

— Détruites, dit le passant.

— Et leurs Maisons d'étude aussi ?

— Oui, dit le passant, elles aussi.

— Mais les enfants, les vieillards, où sont-ils ? Les sages et leurs disciples, où sont-ils ?

— Tués tous, dit le passant.

Alors, Jésus s'arrête, se met à pleurer sur ses frères assassinés. Il sanglote si fort que, finalement, des gens se retournent pour le regarder et, soudain, un paysan s'écrie : « Mais, il est juif, lui aussi, et il est vivant ; comment a-t-il fait pour rester vivant ? » Quelques paysans se ruent sur Jésus, le frappent avec fureur et le tuent.

Les Chrétiens ont tué leur dieu en voulant tuer le Juif.

La signification du poème, vous l'avez devinée. En tuant des Juifs, l'humanité a tué plus que des Juifs ; l'holocauste a marqué plus que ses victimes ; en un certain sens, la société s'est donné la mort à Auschwitz. Si l'espoir semble déserter la terre, c'est parce qu'on l'a étouffé, dénaturé et corrompu à Treblinka. Car, pour un homme charitable, Dieu est généreux ; pour un assassin, Dieu est l'assassin suprême.

Qui tue des Juifs finira par se tuer soi-même et par tuer Dieu. Un grand rabbi hassidique, Rabbi Zvi-Hersch de Ziditchov, disait à son ami, Rabbi Yosseph-Méir de Sepinke : « Jadis, du vivant de notre Maître, le Voyant de Lublin, c'était tellement facile de se dépasser ; nous, les disciples, nous nous réunissions autour de lui, formant un cercle étroit, les bras de l'un sur l'épaule de l'autre et, ensemble, avec lui, grâce à lui, nous nous élevions vers les sphères célestes ; mais aujourd'hui, nous avons peur. » Il s'arrêta un instant, baissa les paupières et reprit sur un ton plus bas : « Aujourd'hui, mon ami, nos rêves eux-mêmes ont changé. »

Et nous, que dirons-nous des nôtres ? Ce sont des cauchemars. Le passé suscite le remords, l'avenir s'ouvre sur l angoisse. La civilisation traverse sa crise la plus aiguë, la plus dangereuse. L'homme marche sur la Lune et est en train de détruire la Terre. Des guerres médiévales ravagent tous les continents ; on ne s'en émeut plus. Les idéaux d'hier s'effritent ; le contestataire se repose. A l'âge de l'hypocrisie a succédé celui de l'indifférence, et celle-ci est pire car elle corrompt, elle endort, elle tue avant de tuer. On l'a dit, répétons-le : l'opposé de l'amour n'est pas la haine, mais l'indifférence.

Quant à nous, notre peuple est seul, une fois de plus, plus seul que jamais, renié par la droite et par la gauche. Voilà qu'on l'isole dans les Nations « unies ». Demain, on l'exclura peut-être, et puis on cherchera comment l'humilier davantage.

Toutes les catastrophes ont commencé par des mots. Et pourtant, je n'ai pas peur, pas vraiment, c'est-à-dire pas peur pour nous, j'ai peur pour l'humanité, car la condition juive, aujourd'hui, reflète la condition humaine dont elle est la préfiguration.

Pour conclure, revenons à ce roi Nabuchodonosor de Babylone qui, le malheureux, a battu Israël pour se faire gifler par un ange nommé Michael. Pourquoi Michael a-t-il giflé le roi ? Et le grand Rabbi Mendel de Kotzk dit : « Chanter quand tu portes la couronne, ce n'est rien ; reçois des gifles, on verra après si tu peux chanter. »

Eh bien, nous avons reçu beaucoup de gifles ; nous en avons reçu depuis deux mille ans, et nous ne cessons d'en recevoir aujourd'hui encore. Et alors, que faut-il faire ? Il faut chanter. *A cause* des gifles ? Quand l'ennemi est fou, il détruit ; quand le tueur est fou, il tue. Quand nous sommes fous, nous chantons.

XI. L'étranger de la Bible

Cette nuit-là ou ce jour-là, le texte ne le précise pas, Abraham eut une vision. Dieu lui renouvelait ses promesses : il ne mourrait pas sans héritier, son passage sur terre ne serait ni effacé ni oublié : l'humanité tout entière regarderait l'avenir avec ses yeux.

Abraham : premier d'une lignée, fondateur de nations. Le premier à crier contre l'obscurité et ses idoles, le premier à proclamer que Dieu est Dieu, donc que la tâche de l'homme est d'être humaine. Après lui, l'histoire suivra un cours différent : rien ne sera plus comme avant.

« Regarde le ciel, dit Dieu, et essaie de compter les étoiles, tes descendants seront aussi innombrables qu'elles. »

Pourtant Abraham éprouve une inquiétude née de ses doutes. Dieu lui promet cette terre, mais Abraham exige des preuves : « Comment saurai-je qu'elle restera mienne ? »

Alors Dieu lui fait procéder à un bien étrange rite : Abraham prend une génisse âgée de trois ans, une chèvre de trois ans, un bélier de trois ans, une tourterelle et une jeune colombe, il les divise par le milieu et dispose chaque moitié face à l'autre, mais les oiseaux restent entiers. Soudain, il voit les oiseaux de proie s'abattre sur les animaux déchirés, mais il les chasse. Le soleil se couche et une torpeur s'empare d'Abraham déjà envahi d'une angoisse lourde et sombre. Et Dieu lui dit :

« Sache que tes descendants seront des étrangers sur une terre étrangère ; ils seront réduits en esclavage, tourmentés et persécutés pendant quatre cents ans ; mais leurs oppresseurs seront punis et tes descendants connaîtront la liberté et la richesse... »

Entre-temps, le soleil a disparu ; maintenant, c'est l'obscurité qui règne et elle est totale. Et Abraham voit un tourbillon de fumée et un sillon de feu qui passent entre les chairs dépecées. Et Dieu conclut une alliance avec lui :

« Ce pays est à toi et aux tiens ; depuis le grand fleuve d'Égypte jusqu'au grand fleuve d'Euphrate... tout est à toi et à tes descendants. »

Ce passage allégorique et troublant retient notre attention car il contient pour la première fois le terme « étranger ». Certes, Adam (et non Abraham) est le premier étranger de l'Histoire : face à Ève, et surtout face à Dieu qui l'interpelle en le traquant — *Ayekha* (Mais où es-tu donc ?) —, Adam a le réflexe typique du réfugié : il prend la fuite, il se cache, il se veut invisible.

Mais Abraham est le premier à apprendre le mot « étranger » : ses descendants seront des étrangers sur une terre étrangère. Avertissement qu'Abraham reçoit alors qu'il se trouve chez lui, dans le pays même que Dieu dit avoir réservé pour ses enfants et les leurs. Autrement dit : Abraham se trouve en terre promise lorsque Dieu lui dit que ses descendants seront, un jour, exilés et traités en victimes par des peuples d'oppresseurs.

On peut donc se demander pourquoi l'apparition de l'étranger, dans la Bible, est liée à une promesse. Et pourquoi fait-il partie de l'alliance ? Et puis : quelle est la signification exacte du mot étranger ? Qui est étranger et comment le devient-on ? Et que faut-il faire pour cesser de l'être ?

L'homme est par définition un étranger : venant de nulle part, il plonge dans un univers qui existait avant lui et qui existera après lui : un monde qui n'avait point besoin de lui.

Étranger, il traverse l'existence en compagnie d'autres étrangers qu'il aime, envie ou déteste ; il lui est donné de s'en rapprocher uniquement pour mesurer la distance qui les séparera à tout jamais : ils sont ensemble mais non pareils.

Car il existe trois catégories d'étrangers :

— Le premier étranger est neutre, au-dessus de la mêlée, non concerné, indifférent, presque absent. Un moraliste chrétien du XIVe siècle devait penser à lui en conseillant : « Que ton comportement sur terre soit celui de l'étranger ou du voyageur que les affaires du monde ne touchent pas. »

— Puis il y a l'étranger qui excite, qui stimule, qui secoue : il suffit qu'il surgisse pour que la société vautrée dans ses habitudes se mette à briller. Vous essayez de l'impressionner, de le charmer, d'exister à ses yeux. Lui, c'est l'étranger positif, bon, créateur. Par son apparition, il vous aide à devenir arc tendu et non branche coupée, flétrie. Lui, c'est le personnage pittoresque, porteur de mystère. Le poète vagabond. Le prince qui en a assez de sa gloire, de sa richesse comme le sage de sa sérénité : c'est l'appel de la tempête qui va fouetter les vagues.

— Le troisième, c'est l'étranger hostile sinon haineux : il fait peur, il refuse de se livrer. Il vient prendre et non recevoir. Essentiellement maléfique, il s'introduit dans le présent non pour enrichir mais pour diminuer, dégrader. Ses moyens sont la haine, la rancune, le soupçon. Hargneux, il se déteste et souhaite que vous lui ressembliez. Sa rage ne s'apaise que si elle vous traîne dans la boue à ses pieds ou à ses côtés. C'est le voleur volé qui veut recommencer, le tueur manqué qui ne croit qu'à la mort, la vôtre. C'est le bourreau masqué qui sème le désarroi. C'est l'ennemi.

Ces trois catégories, on les retrouve dans la Bible. Avant de les examiner de plus près, notons simplement que le problème posé par l'étranger est parmi les plus urgents du siècle — et peut-être de tous les siècles.

De nos jours, l'homme est obsédé par un sentiment d'échec et d'isolement pourtant démenti par ses triomphes technologiques. Sentiments d'aliénation, d'inutilité, d'absurdité : il se sait vidé, acculé, désespéré, étranger au monde et à lui-même : entre le moi et sa conscience, il y a rupture et non communication. Quoi qu'il fasse, l'homme est condamné, exilé. A force d'errer, il finit par oublier son point de départ. D'où malaise et dépression : il n'est nulle part chez lui. Il finira par ne plus chercher : tout a été tenté, tout a été dit. Tout a été vécu.

Ainsi il doute de tout : il est incapable d'aimer et de refuser l'amour, de se définir comme mortel parmi les mortels, d'offrir ou de recevoir du secours. Il doute de sa propre existence : suis-je sûr de vivre ma vie ? Et si je vivais le destin d'un autre ?

Alors, il use de stupéfiants, côtoie la mort et la démence ; il se laisse tenter par le mysticisme, le nihilisme, la violence et l'antiviolence ; il fait n'importe quoi, avec et contre n'importe qui, pour se secouer, se réveiller, appartenir à un réseau d'amis, participer à une œuvre d'hommes : vivre pleinement, intensément. C'est qu'il y a tant de morts derrière nous, autour de nous, que nous pensons en faire partie. Et après ! Mieux vaut appartenir aux morts qu'à rien. Meursault, l'étranger de Camus, tue peut-être pour se sentir vivre. Mieux vaut subir le châtiment que d'être ignoré. On se donne la mort pour la même raison. Le tueur et sa victime existent l'un pour l'autre de la même manière, dans le même temps, liés par le même acte. Pour le condamné, le bourreau n'est pas un étranger.

Pour l'homme juif, le problème est particulièrement angoissant. Les raisons en sont évidentes. Depuis le commencement, quelques parenthèses mises à part, il est considéré partout comme l'étranger par excellence. Pourchassé, traqué, il suscite la haine qu'on nourrit à l'égard de tous ceux qui n'appartiennent pas au clan, à la tribu. Ainsi, l'antisémitisme est un baromètre qui dépasse la question juive. On mesure l'humanité d'une communauté nationale ou ethnique selon son attitude envers l'étranger juif, donc envers le Juif.

Nous connaissons cette attitude dans de nombreux pays. Mais... quelle est la conception *juive* de l'étranger ? Quel est le jugement que la tradition *juive* porte sur quelqu'un qui vit en dehors, de l'autre côté, ou en marge de la communauté d'Israël ? En termes plus nets : que pense un Juif de quelqu'un qui n'est pas juif ?

Les étrangers — les Gentils, les païens — de la Bible n'ont pas à se plaindre. Le Juif est plutôt favorablement disposé envers eux, avouons-le. Amalek ? C'est une exception : c'est l'ennemi qui voulait anéantir, exterminer jusqu'au dernier des Juifs. Les autres sont présentés sous des traits attachants. Esaü : plus que son frère, il nous fait pitié, Ismaël aussi. Pharaon : malgré le mal qu'il nous inflige, on n'arrive pas vraiment à le haïr. D'ailleurs, Dieu ne nous le demande pas. C'est Dieu qui tire les ficelles, Lui qui « endurcit » le cœur de Pharaon. Pauvre Pharaon : jouet de Dieu et victime des Juifs. Un autre maladroit : Biléam, le « prophète » qui ne parvient pas à maudire Israël ; il fait des phrases, des poèmes, pensant dire du mal du peuple juif et finissant par en dire du bien : comment ne pas compatir à sa peine ?

Cela dit, tous ces païens nous sont tellement familiers qu'ils semblent intégrés au paysage biblique : chacun possède un nom, une fonction, un destin bien à lui. Il est difficile de les considérer en étrangers.

Un étranger, c'est quoi ? c'est qui ? Dans la Bible, on le retrouve sous plusieurs appellations : *Guér*, *Nokhri* et *Zar*.

Ces trois notions subissent des changements dramatiques dans la littérature talmudique.

Guér et *Nokhri,* dans le contexte biblique, indiquent une situation juridique et géographique, tandis que *Zar* relève du domaine exclusif des considérations spirituelles et religieuses. Autrement dit : les deux premiers termes ont une application profane, tandis que le troisième suggère le sacré.

Le *Guér* vit parmi nous : en terre juive, dans un milieu juif, dans une ambiance juive ; il n'a pas embrassé la foi juive, mais il se conforme à ses coutumes et respecte ses valeurs. Ses amis sont juifs, ses clients aussi, ses fournisseurs, ses confrères, ses voisins : il n'est pas comme eux, mais il fait partie de leur société.

Le *Nokhri,* par contre, c'est un *Guér* qui tient à demeurer différent, séparé, enfermé en lui-même. Alors que le *Guér* s'adapte et va même jusqu'à s'assimiler librement, le *Nokhri* se veut étranger. Il n'est pas hostile — pas comme le *Zar* par exemple —, mais il n'est pas des nôtres et il tient à ce que cela se sache.

Par conséquent, la tradition juive se montre infiniment accueillante envers le *Guér,* et même à l'égard du *Nokhri* qui, après tout, n'est pas un ennemi, et extrêmement sévère envers le *Zar.*

Personnage privilégié, le *Guér* est une sorte d'élu. Nous avons le devoir de lui témoigner charité et compréhension. Il est interdit de repousser le *Guér,* de l'offenser, de lui causer préjudice ; il faut l'assister en priorité sur le citoyen moyen, il faut non seulement l'aider mais aussi le comprendre et lui faire sentir à quel point il est bienvenu ; il faut l'aimer. Le terme *Veahavta* (Et tu aimeras) est employé trois fois dans l'Écriture : Tu aimeras ton Dieu, tu aimeras ton prochain et tu aimeras le *Guér,* l'étranger.

A la longue, cela tourne à l'obsession. On nous le rappelle, encore et encore, à propos de n'importe quoi : le *Guér* est un être spécial, tellement spécial qu'il mérite une attention et un dévouement sans réserves. On nous dit, on nous redit pourquoi : « *Ki Guérim hayitem beeretz mitzraim* » — vous-mêmes étiez des étrangers en Égypte, ainsi qu'Abraham, dans sa vision, l'avait pressenti. Moralité : ne faites pas à autrui ce qu'on vous a fait, soyez différents. Vous avez souffert en tant qu'étrangers, à cause des autres ? Veillez à ce que les autres ne souffrent pas à cause de vous.

On va jusqu'à nous ordonner de ménager les susceptibilités du *Guér* : il ne faut surtout pas lui faire sentir son état de *Guér*. De nombreuses lois juives s'appliquent aussi à lui : celles du Shabbat et du Yom Kipour — eh oui, il doit jeûner comme moi, le jour du Grand Pardon — et celles traitant des relations familiales... Et celles de Pâque, à condition, toute-fois, de se faire circoncire auparavant. Il faut tout faire pour qu'il ne se sente pas à l'écart, marqué, dans une sorte de ghetto.

On aime le *Guér* au point que, avec le temps, le terme désignera un converti, un prosélyte. *Guér* signifiera *Guér-tzedek*, un converti juste, ou plutôt un converti à la justice, quelqu'un qui vient adhérer à notre peuple non pour des raisons superficielles de commodité ou de complaisance, mais par conviction profonde que, en dépit de sa souffrance, ou à cause d'elle, le judaïsme est lié à une quête éternelle de vérité humaine et de justice.

Aussi, dans le Talmud — où l'on nous enseigne à découra-ger les candidats à la conversion, car la mission du Juif n'est pas de judaïser le monde mais de l'humaniser —, le *Guér* est voué au bonheur. On le comble d'honneurs et de récompen-ses, on lui accorde toutes les grâces. Rien ne lui est refusé. On va jusqu'à déclarer sa supériorité sur nous : Dieu semble le préférer à nous. Explication de Rabbi Shimon ben Lakish : les enfants d'Israël avaient accepté la Torah sous la contrainte, et aussi parce qu'ils avaient vu les éclairs et entendu le tonnerre, alors que le *Guér*, le converti étranger, vient vers Dieu et vers nous sans pression extérieure, dans un mouvement de liberté et de reconnaissance.

Sa position, dans la Bible, vaut celle du Lévi, au point que Moïse lui-même croit utile de protester devant Dieu : pourquoi comparer le *Guér* au Lévi ? En quoi le *Guér* mérite-t-il cet honneur ? Et Dieu, dans sa défense, emploie l'argument selon lequel le *Guér* n'agit pas par intérêt : « Qu'est-ce que j'ai dû faire pour persuader sinon forcer le peuple d'Israël d'accepter ma Loi ! J'ai dû le libérer de l'esclavage, le nourrir dans le désert, le protéger contre ses ennemis, l'impressionner avec des miracles sans fin, l'un plus grand, plus stupéfiant que l'autre — alors que le *Guér*, l'étranger, n'a nullement besoin de tous ces signes et miracles : je ne l'ai pas appelé et il est quand même, de lui-même, venu revendiquer ma Loi. »

Voilà pourquoi il occupe une position si haute dans le système social et spirituel juif ; nos racines s'entremêlent et s'unissent : le *Guér* réussit donc à accomplir ce que Dieu lui-même ne peut — ni ne veut — entreprendre : il change son passé.

Bien plus, chaque *Guér* peut et doit se réclamer directement d'Abraham — le premier *Guér*, le premier prosélyte, père de tous ceux qui allaient suivre son exemple, le premier Juif à se sentir étranger loin de son pays, et à être traité comme tel durant son errance de pays en pays, d'une société à l'autre, d'une culture à l'autre.

Le *Guér* connaîtra également le privilège ultime d'incarner le lien vivant entre les hommes et leur sauveur : le Messie, fils de David, sera le descendant d'une femme convertie, Ruth.

Un homme dont les ancêtres furent des nomades, l'histoire et la tradition juive le couronneront un jour roi et messie : voilà le plus élevé des hommages que nous rendons ainsi à ceux que nous considérons comme des étrangers parmi nous.

Attitude singulière car, nous l'avons dit plus haut, sur le

plan humain et sociologique, l'étranger c'est quelqu'un qui, généralement, suggère l'inconnu, l'interdit, le proscrit ; il séduit, il attire, il vous blesse et s'en va. C'est quelqu'un qui arrive d'un lieu que vous n'avez jamais visité, et que vous ne visiterez jamais, envoyé par des puissances maléfiques qui sont renseignées sur vous plus que vous ne l'êtes sur elles, et qui vous détestent d'être ce que vous êtes, qui vous êtes, ou tout simplement : de vivre, de respirer, d'espérer.

L'étranger représente ce que vous n'êtes pas, ce que, n'étant pas lui, vous ne pourriez être. Entre lui et vous, aucun contact ne paraît possible, sauf la peur, le soupçon, la répulsion.

L'étranger, c'est l'autre. Vos lois et vos souvenirs ne le concernent pas : rien ne l'oblige à les revendiquer ou à s'y soumettre ; son langage n'est pas le vôtre, et son silence non plus. C'est un émissaire de violence et de mal. Ou de la mort. Nul doute qu'il vienne de *l'autre côté*.

Aussi s'employait-on généralement à l'écarter, l'isoler, et le condamner. A la peur qu'il suscitait, on répondait par la terreur.

C'était le vagabond en quête de gîte, le bohémien quémandant du pain et du vin, le malade implorant le village de ne pas le renvoyer aux lépreux, le mendiant à la recherche d'un visage accueillant, le fugitif poursuivi par la meute, le fou hanté par les ombres, et le prince qui se veut leur ami : qu'il cherche consolation ou pardon, ou tout simplement répit provisoire, l'étranger est renvoyé ou rendu inoffensif. C'est la loi de la tribu qui joue : elle désire rester unie, pure, fermée sur elle-même. L'inconnu ne peut donc que déranger, dérégler, miner l'ordre établi. La solution ? Il faut refouler l'étranger. Ou même l'éliminer. Et, au mieux, l'exorciser.

Dans certaines sociétés dites émancipées ou civilisées, on lui permet de s'intégrer, de s'assimiler. Ou on le lui ordonne. Ainsi, pour survivre, il doit se désarmer, se dévêtir, se transformer. Il peut rester, et même confortablement, à condition de renoncer à son nom, sa condition antérieure, son passé ou, en un mot, son identité : un Juif, par exemple, doit devenir chrétien, musulman ou communiste, ou cosmopolite, ou n'importe quoi. On lui offre donc la possibilité de vivre — et même de vivre heureux — à condition de se soumettre aux inévitables *rites de passage*, c'est-à-dire de procéder à un changement d'être, à une sorte de métamorphose. Vous souhaitez être des nôtres ? Soyez comme nous. Soyez *nous*.

Il existe une autre méthode, plus radicale, inventée par les nazis. Sous leur règne, la peur de l'étranger, la haine de l'étranger avaient atteint des proportions paroxystiques.

Certains parmi nous s'en souviennent encore : la présence de l'étranger suscitait chez les nazis racistes des frustrations ancestrales, des haines premières. Coexister avec lui devenait, pour eux, intolérable. Dans leur Reich fanatisé, l'assimilation sociale, la transformation religieuse et culturelle cessèrent d'être des options valables. Avant de disparaître, l'étranger devait se laisser torturer, défigurer, diminuer, humilier. Plus cruels que les barbares de l'Antiquité, les nazis tenaient à déshumaniser leurs victimes avant de les tuer : l'étranger, ils le réduisirent à l'état d'objet.

Seul l'Islam — religion et culture ancrées dans le désert — se montrait plus hospitalier envers les étrangers. Pour les hommes du désert, une gorgée d'eau et une place à l'ombre ne se refusent à personne. Tolérant envers les individus, sur le plan humain, l'Islam le fut moins au niveau de la religion, envers les groupes. Après tout, Islam signifie soumission. Souvent l'étranger, en Islam, devait se soumettre ou mourir.

L'étranger en tant qu'être souverain, c'est surtout dans la tradition juive qu'on le retrouve. Certes, il représente pour nous aussi l'inconnu, mais son attrait sur nous tient de la curiosité, de la fascination et non de la haine. Plutôt que de l'absorber, nous l'encourageons à se vouloir indépendant et fidèle à lui-même. Son identité nous est précieuse et il nous incombe de l'enrichir. A de rares exceptions près, nous nous sommes toujours interdit de pratiquer la conversion forcée. Lorsque nous le fîmes sous le roi Yanai, nous fûmes amenés à le regretter sous le roi Hérode. Le judaïsme nous enseigne à mettre l'accent sur l'authenticité. Or elle n'est possible que par l'enracinement dans sa propre culture, c'est-à-dire dans sa propre mémoire.

Notre but n'a jamais été de transformer des Chrétiens ou des Bouddhistes en Juifs : nous les respectons pour ce qu'ils sont. Nous ne demandons pas à l'étranger de nous offrir ce que nous possédons déjà — ou ce qu'il pourrait nous avoir pris — mais ce qu'il a, et qu'il est seul à avoir. Nous ne voulons pas qu'il nous ressemble, et nous ne souhaitons pas lui ressembler. Plutôt que de fouiller en lui afin de cerner ce qui nous est familier, nous cherchons à comprendre ce qui ne l'est pas. En quoi est-il différent de nous, donc spécifiquement autre ? Qu'est-ce qui fait de lui un étranger ? Voilà en quoi il nous intéresse, voilà pourquoi il nous paraît fécond.

C'est que l'homme, conscient de ses limites en même temps que de son désir de les dépasser, voit en l'étranger une remise en question non seulement de son être mais des rapports entre les êtres. Face à l'inconnu, je me rends compte que je suis un étranger pour quelqu'un d'autre ; seul Dieu demeure égal à Lui-même, dans tous Ses rapports, sans jamais devenir autre.

A l'échelle humaine, cela signifie qu'il existe, dans l'homme, une part qui ne lui appartient pas ; qu'une zone, en lui, lui restera inconnue ; en affrontant un étranger, il espère, grâce à lui, mieux se connaître lui-même. Car l'homme ne peut aboutir à la vérité — ou à Dieu — sans passer par autrui, de même que Dieu ne peut accomplir son œuvre que par l'intermédiaire de l'homme.

Pendant toutes les générations qui ont vécu depuis Adam et jusqu'à Noé, et de Noé jusqu'à Abraham, Dieu ne régnait que sur les cieux, là-haut, dit le Midrash ; ce ne fut que lorsque Abraham l'eut reconnu et fait connaître, qu'Il se mit à régner aussi sur la terre. Sans la participation de l'homme, Dieu lui-même pouvait donc se désintéresser d'une partie de sa création. Autrement dit : l'homme a besoin de Dieu pour être humain, et Dieu a besoin des hommes pour démontrer Sa gloire.

Pour un Juif, l'étranger suggère ainsi un monde qu'il s'agit d'habiter, d'embellir, de sauver. On l'attend avec impatience, on lui souhaite la bienvenue, on lui est reconnaissant de sa présence. La grandeur d'Abraham, selon nos sages, fut dans l'accueil chaleureux qu'il réservait à tous les voyageurs, tous les étrangers : anges ou fugitifs, il les invitait chez lui. Rabbi Eliézer devint le père du Baal-Shem-Tov, le Maître du Bon Nom, en récompense de son hospitalité envers les mendiants anonymes. C'est que, dans la tradition juive, l'étranger pourrait être un personnage important : un prophète déguisé, un Juste caché. Et pourquoi pas, le Messie. Au lieu d'en faire le reflet de mon moi, je l'accepte tel qu'il est, espérant recevoir un fragment de sa connaissance secrète, une étincelle de sa flamme, et peut-être une clef de son sanctuaire.

Reste le problème de la nature et l'échange : dois-je aborder l'étranger dans sa langue ou la mienne, à son niveau ou au mien, le suivre sur son terrain ou insister pour que je reste sur le mien ? La réponse est aisée : je m'interdis d'accepter ses termes. L'échange doit exclure tout élément de soumission ou de défaite. Me soumettre à l'étranger pour m'en approcher amènerait inévitablement de ma part une dissolution d'être.

Danger dont nous aurions tort de sous-estimer la gravité. C'est qu'il existe en l'homme un désir, parmi tant d'autres, qui appelle ce genre de solution, ce genre de mort. Désir qui le pousse à rompre avec son entourage, sa communauté, son passé — la somme de ses certitudes acquises, de ses expériences vécues — et à se perdre dans la masse, se fondre en elle, en finir une bonne fois, résoudre le problème de l'existence et de l'identité en s'effaçant, en devenant autre, en vivant la vie d'un autre, le destin d'un autre, en assumant la mort d'un autre, donc en acceptant, en souhaitant mourir en étranger — pour oublier douleur, honte, péché — et disparaître sans laisser de trace.

Suicide physique ou moral qui s'explique par la faiblesse de l'homme découvrant son état d'infériorité face à l'étranger : il se regarde avec les yeux de l'étranger. Cela le gêne, cela lui fait mal. Mieux vaut sombrer dans l'inconscience. Pour ne plus réapparaître, sauf sous un nouveau nom.

Parfois les mobiles sont plus élevés ; ils correspondent au besoin, sincère et louable, qu'éprouve l'homme de se renouveler : se repenser, se redécouvrir, revoir le chemin parcouru pour en mieux approfondir la signification. L'homme se lève un matin et, sans prendre congé, rompt avec ses amitiés et ses habitudes et va se plonger dans une société dont il ignore les lois et les mœurs — et il y va *parce qu*'il les ignore. Tout ce qui lui semble familier, il le rejette. Il aspire à la non-connaissance, à la non-compréhension. Il a choisi l'exil pour traverser une expérience nouvelle, pour éprouver la condition humaine dans ses formes changeantes, pour devenir constamment autre ; il a choisi l'exil pour devenir étranger. C'est pourquoi il veut fuir : ne jamais rester au même endroit, ne jamais s'attacher au même lieu, au même peuple, ne jamais s'enraciner dans le même événement. Il marche pour se défaire de son bagage plutôt que l'alourdir. Plus il avance, moins il possède. Partout, il laissera une couche de son être, un masque de son âme. Pour resurgir étranger, il doit se débarrasser auparavant de son moi profond.

Chez les uns, cela finit bien : Abraham rompit avec les siens et devint Abraham ; Moïse quitta le palais royal et se fit meneur de peuple. Abraham était devenu étranger aux yeux

147

de son père comme Moïse aux yeux de son roi. Leur aventure restera un triomphe pour l'humanité.

Chez d'autres, cela finit mal : Flavius, Marx, Weininger. Attirés par l'*autre côté*, par l'étranger, ils ne furent point prudents. Ils permirent à l'étranger de les dominer, et ils finirent par lui ressembler. Incapables de résister aux tentations séductrices de l'étranger, ils oublièrent l'enseignement de la tradition juive : nous devons aimer l'étranger tant qu'il remplit son rôle d'étranger, c'est-à-dire aussi longtemps que son mystère bouscule nos certitudes et nous force à réévaluer nos engagements, aussi longtemps qu'il représente la question. Mais il faut s'opposer à lui, le combattre dès qu'il s'impose à nous comme détenteur de vérité, comme seul détenteur de l'unique vérité. Et alors, ne pas lui résister, c'est devenir sa caricature.

La vertu du *Guér*, c'est qu'il demeure *Guér*. Converti au judaïsme, il conserve néanmoins sa qualité spécifique de *Guér* pendant dix générations : nous préférons ne pas le priver de cette part essentielle qui fait, de l'étranger en lui, notre frère.

Qu'en est-il de la seconde catégorie ? Le *Nokhri*, dans ses choix, se situe en dessous du *Guér*. Le texte souligne la différence entre eux : nous sommes censés aimer le *Guér*, mais on ne nous ordonne pas d'aimer le *Nokhri*. En résultent quelques discriminations d'ordre pratique : il est permis de pratiquer l'usure à l'endroit de l'un mais non de l'autre. La viande impure, on la donne au *Guér*, mais on la vend au *Nokhri*.

Quelle est la raison de cette distinction ? Les deux termes signifient étranger. Mais tandis que *Guér* indique un mouvement, une impulsion *vers* le Juif, *Nokhri* suggère, au contraire, une démarche d'*éloignement* du Juif. On le comprend mieux dans les déclinaisons des deux verbes : *lehitnaker* veut dire s'opposer à un groupe, s'extraire d'une communauté, opter pour l'aliénation délibérée, alors que *lehitgayer* traduit une volonté d'adhérer, de se rapprocher, de se convertir.

Il y a dans le terme *Nokhri* quelque chose qui implique une décision, un plan, une détermination de se tenir à distance : c'est quelqu'un qui use et abuse de son statut d'étranger pour défier, opprimer et humilier.

Tandis que le *Guér*, dans le contexte biblique, est un visiteur qui vient de loin pour rester avec vous dans la joie et la souffrance, le *Nokhri* ne cache pas son intention de repartir ; il est là à titre provisoire, demain il s'en ira avec sa proie. Attaché à un autre foyer, à un autre système, il y retournera tôt ou tard. Même quand il est avec vous, il appartient à un autre monde.

C'est pourquoi Abraham, s'adressant aux habitants de Hebron, dit : *Guér vetoshav ani imakhem.* Certes, il se trouve parmi des étrangers et il le sait, mais son comportement à leur égard sera celui du *Guér* et non du *Nokhri*. Joseph emploie la même expression : en terre étrangère, hostile, il se considérait *Guér* et pas autre chose. Le Juif ne doit jamais, dans ses rapports avec autrui, jouer le rôle de *Nokhri :* il ne lui est pas permis d'utiliser sa judaïté pour attaquer, diminuer, ridiculiser, abaisser un autre être, une autre tradition, une autre foi.

Mais la troisième catégorie est la pire dans sa nature comme dans ses actes : *Zar* aussi signifie étranger, mais son caractère méprisant le rend méprisable. On nous dit d'aimer le *Guér* et de respecter le *Nokhri*, mais de tourner le dos au *Zar*. Les deux premiers sont sous protection divine, le troisième non.

Qui est-ce ? Au début, il s'agit de ces Juifs ordinaires vivant en dehors de la structure du Temple. Puis, les prophètes s'emparent du terme pour décrire les éléments profanes et destructeurs de la société.

Zar est plus néfaste que *Guér* ou *Nokhri*, car il est juif : le terme ne s'applique qu'à lui.

C'est le Juif qui décide d'être étranger envers les autres Juifs et envers lui-même. Opposition religieuse, sociale et métaphysique qui vise l'identité : un Juif qui déteste son judaïsme, ses frères, ses ancêtres, ses racines, un Juif ennemi, le pire des ennemis, voilà le *Zar*.

D'où la rigueur des mesures à son endroit. Il lui est interdit de manger le sacrifice des prêtres ; il lui est interdit même de s'en approcher. On le tient à distance, toujours. Trop dangereux, le contact avec lui : il est capable de se servir de son judaïsme, qu'il hait, contre les Juifs. Voilà pourquoi tout ce qu'il entreprend, tout ce qu'il projette devient idolâtrie : *Avoda zaara ;* il sert la puissance et les intérêts étrangers. Au cours des années, le terme devient de plus en plus péjoratif. Les pensées étrangères sont impures. Les deux fils d'Aaron meurent parce qu'ils ont introduit du feu étranger dans le sanctuaire. Quand Dieu exprime Son mécontentement, Son écœurement devant certaines actions humaines, Il s'écrie que tout cela *Lezara li*, tout cela Lui est étranger, cela Le révolte et Lui répugne.

Pourquoi tant d'hostilité envers cet étranger-là ? Pourquoi cette dureté implacable dans notre attitude ? Parce qu'il représente tout ce qu'il y a de plus dangereux pour l'homme — et pour l'homme juif en particulier.

C'est qu'il existe diverses façons de vivre en tant qu'étranger, et elles ne se ressemblent guère.

Je pourrais tout d'abord être ou vouloir être un étranger dans mes rapports... aux étrangers, ce qui semblerait naturel et, je dirais même, salutaire. Parfois cela est désagréable, pénible et souvent absurde : je me trouve face à face avec une personne et je sais que notre rapport est d'inconnu à inconnu que le hasard a réunis pour un instant, une rencontre, le temps de cligner de l'œil. Lui tendre la main ? Il est déjà parti, elle est déjà oubliée.

Je pourrais également me définir étranger par rapport à un ami, un collègue, un frère. Caïn et Abel n'étaient pas ennemis, mais étrangers l'un à l'autre, ce qui est pire. L'amitié transformée en haine est préférable à l'indifférence, à l'oubli. Je regarde un être : je pensais que nous appartenions au même univers, que nous partagions les mêmes secrets, que nous étions liés par des souvenirs, des rêves, des projets démesurés ; or, le voilà autre : un étranger. Ce qui signifie que je suis pour lui aussi un étranger ; je me reconnais étranger en lui, à travers lui. Autrement dit, il se peut que l'étranger en lui, ce soit moi.

C'est grave, mais il y a plus grave : me découvrir étranger à moi-même, donc affronter un étranger en moi-même, quelqu'un qui veut dire oui ou non à ma place, qui cherche à vivre ma vie ou ma mort en me poussant dans la tourmente et l'angoisse, en déréglant mes sens, en enflammant ma raison, en m'incitant à la haine et au dégoût de moi-même — quelqu'un de maléfique qui me force à regarder le monde et les êtres avec ses yeux, qui me contraint à y renoncer en appelant la mort, ma mort, avec sa voix : il veut que je sois lui avant de cesser d'être tout à fait.

Ce comportement-là, nous le refusons. En toute circonstance, dans toutes les situations. Et tu aimeras l'étranger peut vouloir dire : fais en sorte que l'étranger, à tes côtés, s'aime lui-même.

Nous y croyons car, pendant des siècles d'exil et de persécutions, et surtout durant le règne nazi, l'ennemi avait tout fait pour nous inculquer la peur et la honte de nous-mêmes : il nous avait privés de nos biens, de nos foyers, de nos attaches sociales, de nos noms, et nous réduisait à l'état d'objet ou de numéro. Son objectif était de tuer l'humanité en nous avant de nous tuer, de nous faire éprouver à notre propre égard mépris et dégoût : il voulait que le Juif devienne son propre ennemi, son propre bourreau ; que l'étranger en nous, que l'ennemi en nous, nous élimine de l'Histoire. Jamais nous n'agirons comme lui.

Voilà en quoi la tradition juive diffère donc de certaines autres en ce qui concerne l'étranger : nous avons le devoir de nous montrer généreux et accueillants envers celui qui vient du dehors, et impitoyables envers celui qui, en nous, symbolise notre faiblesse et même, en un sens, notre possible défaite : le Juif honteux, le Juif auteur et victime de sa propre haine, le Juif meurtrier, car suicidaire. Le suicide nous est interdit car il ne faut point permettre à l'ennemi en nous, à l'étranger en nous, de choisir la mort en notre nom.

Retournons maintenant à la vision d'Abraham au cours de cette nuit dramatique où, écrasé d'angoisse, il entend pour la première fois l'annonce divine que ses descendants seront des étrangers en terre étrangère. Et que l'épreuve ne sera que provisoire. Que le feu les brûlera et les éclairera. Qu'entre Israël et Son peuple, une alliance sera conclue. Du coup, Abraham n'a plus peur. Il comprend que l'exil est inévitable et nécessaire : vivre sans contact avec un étranger serait tirer de la vie une image appauvrie ; vivre sans avoir, face à un étranger, le devoir constant de s'interroger sur le sens et le but de l'existence ou de la coexistence, serait une manière de s'amoindrir. L'expérience de l'étranger — comme de la souffrance, comme de l'exil — est féconde, pourrait être féconde, à condition de l'arrêter à temps, de la démasquer, de la désarmer, à condition surtout de ne pas l'imposer à autrui. Dans Sa promesse, Dieu fait comprendre à Abraham que ses enfants connaîtront l'exil loin de leur patrie ; qu'ils seront des étrangers, à l'étranger, parmi des étrangers : voilà en quoi la menace est devenue promesse. Car il y a pire : l'exil chez soi, être étranger à soi-même. Cette épreuve-là, les descendants d'Abraham n'auront ni à la subir ni à la faire subir.

Rassuré, Abraham comprend que tout passe, tout prend fin. Et que tout est revêtu d'un sens : même la prison, même l'exil, et la tristesse, et la nostalgie, et l'attente, car Dieu est en tout, Dieu est tout : Dieu n'est pas étranger à Sa création, il s'agit donc de ne pas Le traiter en étranger non plus, c'est-à-dire ne pas Lui être étranger. Ce choix, il lui appartient de le faire.

Certes, nous ne pouvons choisir entre l'enracinement total et le déracinement ultime : nous oscillons entre les deux. Finalement, nous sommes des étrangers sur cette terre, mais il nous est donné d'essayer de ne pas l'être. Il nous est donné de rester fidèles à ce que nous sommes, c'est-à-dire de vivre notre expérience en la partageant, d'assumer notre vérité en la communiquant à notre prochain qui, lui, proclame la sienne avec autant de ferveur et de foi : un jour, nous tous accueillerons au milieu de nous un être qui n'est pas encore venu, mais qui viendra car nous l'attendons.

Et, ce jour-là, il n'apparaîtra pas comme un étranger car nul ne le sera plus, car le Messie, en chacun de nous, aura donné au rêve d'Abraham son ultime accomplissement.

XII. Déracinement et enracinement : le hassidisme

A Brooklyn, c'est la fête. Les disciples entremêlés, venus en foule de loin ou en voisins, vieillards et adolescents en extase chantent en criant, en hurlant, en battant des mains, remerciant le Seigneur de leur avoir donné la passion de la vie et de la prière : c'est le chant, puissant, lancinant, qui devient, pour eux, mémoire et refuge ; rien d'autre n'existe. Ils s'y accrochent comme à un espoir secret. Et moi, je ferme les yeux pour chanter avec eux, comme eux, comme je chantais autrefois. Un hassid qui ne chante pas n'est pas hassid. Par le chant, il se libère et se retrouve hors du temps, au loin, chez lui, avant la tourmente, avant l'incendie.

Au bout de la longue salle, présidant la table, voici le Rabbi, le Maître, entouré de sa cour. Disciple des disciples, héritier des héritiers du Besht, ce visionnaire halluciné qui, au XVIIIe siècle, par ses contes et par ses mélodies, avait ouvert à la joie et à la consolation mille et mille communautés perdues et oubliées, le Rabbi domine la salle.

Le Rabbi joue un rôle primordial dans l'existence de chacun de ses hassidim qui, avant de prendre une décision quelconque, viennent le consulter. Lui seul sait si un tel doit changer de domicile, si un tel doit faire confiance à son chirurgien. Lui seul sait si un mariage doit se faire. Il sait tout, il s'intéresse à tout.

Et moi, c'est à un autre Maître que je songe tout en

chantant avec ses adeptes, ici, à Brooklyn. J'aimerais pouvoir le dire à mes voisins ; m'écouteraient-ils ? Ils n'ont d'yeux que pour leur Rabbi : homme seul — seul avec Dieu, seul en Dieu — qui transforme sa solitude même en offrande, en partage. Pour le hassid, tout est partage.

Près de moi un homme soulève son garçon — huit ans ? dix ? — et l'installe sur ses épaules : « Regarde, regarde bien et souviens-toi ! »

Et les yeux du gamin, comme les miens jadis, les voilà qui deviennent brûlants.

Miracle hassidique : tout ce réseau de communautés pittoresques et hautes en couleur qui s'agite et grandit de jour en jour, d'année en année. Les gens, ici, œuvrent, prient et rêvent dans une sorte de ghetto situé dans le temps plutôt que dans l'espace. Les vieillards farouches, les femmes pudiques et timides, les adolescents trop sérieux, les gamins gais et exubérants : ici, images et incantations depuis longtemps oubliées sont restées intactes, hors de portée des événements.

J'y viens parfois pour me retremper dans mon enfance, pour la prolonger peut-être. Williamsburg pourrait se nommer Sighet. Ou Lublin, Rizhin, Guer. Depuis ses origines, dans l'Europe partagée et repartagée entre les grandes puissances de l'époque, le hassidisme ne tenait guère compte de la géographie. L'affection que le hassid voue à son Maître est plus forte que les décisions gouvernementales. Un hassid de Belz pouvait résider à Budapest ; sa vie était à Belz. Moi, j'allais à l'école à Sighet, mais je m'épanouissais à la cour du Rabbi de Wizhnitz.

Je retrouve un ami de longue date, un frère d'infortune, un survivant lui aussi. Quoique de mon âge, il paraît beaucoup plus vieux. Barbe touffue et grise, caftan usé, chemise blanche mais sans cravate, il me fait de la peine, tant il semble écrasé de soucis. Je lui pose la question qui, depuis des années, me trouble et m'oppresse :

— Rien n'a donc changé ?

— La Torah est au-dessus des changements.

— Et Auschwitz ? Et Treblinka ?

— Auschwitz prouve que rien n'arrive sans la volonté de Dieu, loué soit Son Nom. Treblinka prouve que les êtres humains ont besoin de Dieu : sans Lui, ils tuent ou meurent.

Il existe une légende selon laquelle les disciples du Besht, réunis autour de son chevet de mort, s'aperçurent que les deux horloges accrochées au mur venaient de s'arrêter. Était-ce un signe que le mouvement allait se transformer avec la disparition de son fondateur ? qu'il allait s'insérer dans un temps nouveau, dans un temps autre ? Cela voulait dire aussi que, pour les hassidim, le temps n'existe pas vraiment : ils vivent dans la légende et non dans l'histoire. Peu importent les dates du calendrier, ils suivent la même voie ancienne. La même foi les anime, la même enceinte les enferme. Les siècles et leurs bouleversements, les gouvernants et leurs desseins n'ont pas de prise sur eux. Entre le hassid contemporain et ses précurseurs, la similitude est plus réelle qu'entre un hassid et un non-hassid. Du coup, mon camarade d'enfance me semble différent, changé. Je l'interroge :

— Tu n'as jamais douté ?

— Jamais.

— Pas même là-bas ?

— Jamais, te dis-je.

Je m'emporte, je ne devrais pas, je le sais, mais je n'y peux rien :

— Tu n'es pas humain !

Il me dévisage d'un air infiniment grave :

— Pourquoi ma foi serait-elle moins humaine que ton absence de foi ?

Je ne réponds pas : pourquoi me reproche-t-il mon manque

de foi ? Je n'ai jamais dit que je ne croyais pas en Dieu, je disais seulement que notre génération avait le droit de Lui intenter un procès.

— Tu as connu l'horreur, moi aussi, dit mon ami. Tu es déçu en Dieu ? Moi, je Lui fais confiance. Et je ne suis méfiant qu'à l'égard des hommes.

Pour lui comme pour ses nouveaux amis et les leurs, pour tous les habitants de Williamsburg, croire en la justice divine, en la vérité divine, est le fondement de l'existence. Pour eux, tout paraît simple. A chaque question, il y a une réponse. Le mal est à la fois cause et effet, le bien est à la fois but et récompense. La souffrance est châtiment, la foi remède. Dieu est juge et Dieu est père. Dieu punit et Dieu pardonne. Les grands Maîtres hassidiques l'ont affirmé, mon ami le répète. Dieu est présent jusque dans la douleur, jusque dans le mal. Dieu est présence. Si l'holocauste a un sens, il est lié à la mémoire non seulement des hommes mais aussi de leur créateur. Auschwitz nous ordonne de douter de l'homme et de placer toute notre foi en Dieu. Si l'homme avait écouté la voix de Dieu, il n'y aurait pas eu d'hécatombe en Europe.

Mon ami, je l'envie. Aucune cicatrice sur son être, aucune blessure dans son âme. Chacun de ses gestes correspond à une conviction intérieure. Chaque parole le rattache à un passé de feu et de fidélité. Nul doute ne l'effleure, nul compromis ne le tente. Confort, progrès, découvertes scientifiques : ce ne sont qu'illusions et mirages. L'actualité lui paraît puérile. Tous ces ambitieux qui courent, qui courent, et tous ces politiciens qui crient, qui s'époumonent, et tous ces arrivistes qui se tuent à force de vouloir jouir de la vie, mon ami ne leur consacre qu'une pensée vague et désintéressée. Ses ancêtres, dit-il, ne jouaient pas à ces jeux-là et ils étaient plus proches de la vérité. Plus fort que les bourreaux, mon ami ; invincible, ce hassid chétif et serein. Un bloc. Entier. Sans faille, sans fissure. Une question talmudique, datant du temps de la destruction du Temple de Jérusalem, l'intrigue davantage que les délibérations des Nations unies. Pour lui, le passé demeure présent.

En général, se promener dans son royaume, c'est quitter le xxᵉ siècle. L'Amérique se vante d'avoir conquis l'espace, mais elle ne domine pas Williamsburg. Ici on « sanctifie la lune » au début de chaque mois, comme on le faisait dans les montagnes de Judée et, plus tard, dans les petits bourgs et hameaux d'Europe centrale. Les ordinateurs n'exercent aucune fascination sur les Juifs ici qui croient encore et toujours que Dieu seul se souvient et voit et tient les comptes. Les astronautes ne jouissent d'aucun lustre, on ne leur reconnaît aucun mérite : le Rabbi pourrait monter plus haut qu'eux, plus vite — sans se déplacer ; il lui suffit, pour y parvenir, de baisser les paupières, de se concentrer, de vraiment le vouloir. Mais il ne le ferait pas. A quoi cela sert-il de fuir dans l'espace puisque Dieu est partout ? Et pourquoi chercher ce que Dieu nous cache ? Pourquoi vouloir comprendre ce que Dieu entoure de mystère ?

La science est peu populaire à Williamsburg. Peu de parents y enverraient leurs fils étudier la physique. Si un garçon tient à tout prix à se faire une carrière dans un domaine laïque, qu'il choisisse une école d'administration ou le droit. Quant aux filles, elles n'ont qu'à devenir maîtresses d'école (religieuse, bien entendu) et/ou ménagères. Aucune étude n'est valable ici en dehors de la Torah. Qu'on ne vienne pas prouver que la terre existait avant la création du monde survenue il y a 5 733 ans. Aucune preuve n'est plausible sauf si elle va dans le sens de la Torah.

Les crises qui traversent les mouvements religieux un peu

partout dans le monde, n'ont pas encore affecté les centres hassidiques de Williamsburg.

Abstraction faite des inscriptions en anglais sur les magasins, ce quartier aurait pu se situer quelque part en Galicie ou en Hongrie : le langage est le même, les mœurs sont les mêmes. On s'exprime en yiddish, on perpétue la tradition, on attend la venue du Messie. On se méfie des émancipés, on tourne le dos à la société moderne. La visite du jeune Rabbi de Belz — qui siège à Jérusalem — provoque un émoi plus profond que les élections présidentielles. La querelle entre telle cour et telle autre passionne les esprits beaucoup plus que la controverse sur la menace nucléaire.

Comme jadis, ces hassidim sont concernés seulement par ce qui les touche de près. Déçus par le monde, ils s'en détachent. Pour accentuer leur isolement, ils s'habillent à l'ancienne mode : les hommes en caftan, les femmes en robe longue et perruque. Les gamins, culottes courtes et *payèss* longues gardent la calotte sur la tête même en jouant au volley-ball ou au football, et s'interpellent en yiddish.

Williamsburg : une sorte d'État dans un État. Ses habitants se veulent différents et seuls ; et ils le sont de plus d'une manière.

Ici les maux qui affligent la société moderne n'existent guère. Pas de délinquance juvénile. Pas de drogue. Le combat contre la pauvreté est livré suivant la coutume séculaire : on s'aide entre voisins, amis, parents. Et puis le Rabbi lui-même y contribue : il prend aux riches et donne aux pauvres. Le système d'entraide, à leur échelle, peut servir d'exemple. Vienne le Shabbat, et aucune famille ne manquera des moyens de le célébrer. Quelqu'un tombe malade ? On réunit des fonds pour payer les médecins. Un père démuni doit marier sa fille ? On se cotise pour le tirer d'embarras.

Fanatiques en matière de foi, ils sont généreux en matière sociale. Face à l'adversité, ils serrent les rangs. Le clan reste uni.

Ils se fréquentent entre eux, évitent de s'aventurer hors des lieux familiers. Pour leurs disputes, ils ont recours aux arbitres rabbiniques et non pas aux tribunaux. Le dernier mot, c'est le Rabbi qui l'a, toujours.

Vivant en vase clos, ils sont à l'abri des tentations et des changements que connaît le monde extérieur. La révolte, la contestation n'ont pas cours ici. Nul ne songe à vouloir changer la société ou l'homme. Cela est l'affaire de Dieu. L'individu n'est pas censé Lui forcer la main.

Dans la vie quotidienne elle-même, les habitants ne cherchent rien de nouveau. Installés dans leur routine et leurs habitudes, ils n'éprouvent aucune envie de s'en évader. Chacun a son boucher, son tailleur, son épicier. Sa synagogue, sa *Mikva*. Et son marieur dont on ne peut encore se passer. Et son imprimeur pour les faire-part de mariage. Et si par hasard un hassid se décide à apprendre à conduire, c'est un autre hassid qui se chargera de l'instruire.

Ce quartier me rappelle de façon troublante la lointaine petite ville de mon enfance. Le samedi, les magasins sont fermés. Chez l'épicier d'en face, impossible de se procurer autre chose que l'alimentation kasher. Pour appeler le médecin, le vendredi soir, il faut aller le chercher à la synagogue la plus proche.

Ces hassidim dans la rue, je les regarde. Ils n'ont pas changé. Ni d'occupation ni de milieu. La même démarche, la même conception de l'homme et du destin. Excepté le décor, on les dirait à Satmár ou à Sighet. Un garçon, la Guémara sous le bras, angoissé comme avant un examen, se rend au *héder* : je me retrouve en lui. Ses rêves se heurtent aux miens. Le Rabbi pourrait être mon Rabbi, même si moi je ne suis pas son adepte. Le *Beit-Midrash* ressemble à celui où, pour la première fois, guidé par mon Maître triste et sévère, j'ai plongé dans ce qui porte le nom de *Yam Hatalmud*, la vaste mer de l'enseignement talmudique. Par une fenêtre ouverte me parviennent les voix mélodieuses des écoliers apprenant tel ou tel ouvrage ; une mélancolie familière s'en dégage, évoquant cet univers éteint où la vérité paraissait simple et unique, et où la simplicité était humainement possible et nécessaire.

Mais n'étant plus vêtu en hassid, je me sens ici déplacé. Pour les adeptes de Satmár à Williamsburg, nous le sommes tous.

En revanche, Lubavitch, l'autre grand centre hassidique de Brooklyn, semble plus accueillant.

Face à la forteresse imprenable qu'est Williamsburg, face aussi au monde changeant et vulnérable qu'est la société juive laïque de Manhattan, Lubavitch paraît solide et imperturbable. Rien d'étonnant à ce que tant de jeunes viennent y chercher des raisons d'être et d'espérer qu'on ne leur fournit pas ailleurs.

Étudiants et enseignants, enfants gâtés en quête de ferveur et artistes en quête d'inspiration, hippies désabusés et militants fatigués, tous ceux qui cherchent en se cherchant, qui ont goûté à toutes les sources de vérité artificielle et mensongère, on les rencontre maintenant à Eastern Parkway, venus pour un soir, une semaine ou un temps indéterminé. Vous les abordez, surtout à la cour de Lubavitch, et ils vous répondent en néophytes.

Lubavitch est un empire reconstitué, avec ses succursales et ses émissaires sur les cinq continents. C'est la branche la plus dynamique, la plus agissante du hassidisme moderne, la plus ingénieuse aussi. Des centaines et des milliers de fidèles y exécutent les ordres et les consignes de leur Rabbi Menahem-

Mendel Schneerson, ancien philosophe et scientifique devenu meneur d'hommes et leader incontesté.

A Lubavitch, chaque hassid est apôtre et militant. Il ne se contente pas de s'accomplir soi-même, mais essaie d'agir sur autrui. Lubavitch se considère comme une avant-garde, devant entraîner le peuple juif tout entier. Pour le convertir au hassidisme de Lubavitch, ou du moins au hassidisme, ou du moins au judaïsme tout court. Aussi son rayon d'action couvre des dizaines et des dizaines de pays en Europe, Afrique du Nord, Asie et Australie. Il inclut l'URSS où, selon la légende, le mouvement aurait un fidèle adepte jusque dans la sphère supérieure du Kremlin.

Non que le hassid de Lubavitch soit plus émancipé que celui de Williamsburg. Lui non plus ne fera rien sans avoir consulté son Rabbi. Lui non plus ne mettra pas de vêtements à la mode, pas plus qu'il ne renoncera à sa barbe. Il ne fréquentera pas une synagogue où hommes et femmes prient ensemble. En matière d'orthodoxie, il est plus farouche que les orthodoxes eux-mêmes. Mais, à la différence de ceux de Williamsburg, il ne rejette pas quiconque n'est pas des siens.

A Lubavitch, vous côtoyez des savants désorientés, des enseignants désemparés, des étudiants esseulés, des rescapés du gouffre du LSD, des paradis artificiels et d'aventures pseudo-mystiques ; vous rencontrez des jeunes et des adultes, des incurables et des êtres qui en ont assez de vivre heureux sans trouver un sens à leur vie : qu'est-ce qui les amène ici ? Le désir d'adhérer à une communauté en expansion ? Oui. Le besoin de procéder à une révision de valeurs ? Oui encore. L'espoir de vivre une existence juive vraie et sans fard ? Oui, sûrement. Mais il y a autre chose ; il y a la tolérance de Lubavitch. Ici, on m'accepte, dit un étudiant de Yale, fils de parents athées. Ici, on ne me regarde pas de travers, dit un avocat de Wall Street dont les relations avec la synagogue sont pure coïncidence. Ici, on ne juge personne, on ne condamne personne. On tend la main aux proches et aux égarés. On leur parle, on les écoute. On dialogue avec les jeunes exaltés qui n'ont que des slogans politiques à la bouche. On organise des soirées communes avec danses et chants. On distribue brochures et livres en anglais, yiddish et hébreu sur les origines de Lubavitch, ses objectifs et sa spécificité. Ambiance de camaraderie franche, dépourvue de complaisance, et n'importe qui y est admis. Tout ce qu'on vous demande, c'est de ne pas mentir, de ne pas vous mentir à vous-même. Puis d'accomplir une *Mitzva*, un seul commandement, de mettre une fois les phylactères, de prononcer une fois une certaine prière. De venir à une veillée avec le Rabbi. Qui vient à une fête de Lubavitch y reviendra.

Mais Lubavitch et Satmár ne sont pas les seuls centres. A Brooklyn, et même à Williamsburg, il y en a d'autres, beaucoup d'autres. Klausenburg et Ungvar, Bobov et Guer, Tzanz et Bratzlav, Kretchenev et Kozhenitz : toute l'Europe hassidique y est réunie. Phénomène qui tient du prodige. Ces centres qui, anéantis par le bourreau, se sont reformés à l'autre bout du monde, et qui grandissent en rayonnant. Wizhnitz qui n'est plus à Wizhnitz mais à Brooklyn. Satmàr qui n'est plus en Transylvanie mais à Williamsburg. La défaite du bourreau, la voilà : le mouvement qu'il a condamné lui a survécu ; mieux, il s'épanouit et connaît une étonnante renaissance. Ces hommes et ces femmes qui restent fidèles au chant qui les a soutenus dans les épreuves, ces jeunes qui se réclament d'un lieu lointain et couvert de cendres, ce sont eux les vainqueurs, et leur victoire est miraculeuse. Transférées ici, les capitales hassidiques. Les voilà ressuscitées, exubérantes et rassemblées en une seule ville, en un seul lieu, sous le même ciel haut et grisâtre de Brooklyn. Cela dépasse l'entendement. Comme si de rien n'était.

Comme si le ciel et la terre n'avaient pas tremblé à Auschwitz.

— Il s'agit de persévérer, dit mon ami. Malgré la mort, malgré les ruines. Il s'agit de vaincre la mort en bâtissant sur les ruines. Là est notre force, là est notre secret, celui de notre survie : la foi demeure notre seul soutien.

Mon ami d'enfance, mon camarade d'infortune aurait mené la même existence modeste et rigoureuse d'un hassid s'il n'avait pas été déraciné au cours de la tempête noire et mauvaise. Il aurait épousé le même genre de fille pieuse, austère et dévote, habité le même genre d'appartement, engendré le même nombre d'enfants (neuf) et accueilli avec la même joie la reine de Shabbat. Sa foi en Dieu est une victoire — sa victoire — sur l'homme.

Sauf pour quelques concessions au progrès technologique — par exemple, un appareil qui éteint les lumières le vendredi soir à une heure fixée d'avance pour ne pas violer la sainteté du septième jour —, son train de vie suit celui de ses parents. La manie du modernisme et la poursuite du bonheur facile ne l'ont pas contaminé. Il a un bon emploi, il est instituteur, il gagne assez pour subvenir aux besoins de sa famille, et, si les fins de mois sont souvent difficiles, il ne s'en plaint jamais. Il habite au deuxième étage d'un immeuble sans ascenseur ; ni télévision. La marche sur la Lune ne l'empêche pas de rêver, de prier : à l'apparition de la nouvelle lune, il sort dans la rue et récite la prière appropriée. Malgré les guerres, malgré les crimes, il croit en l'avenir. Si les hommes ne savent pas ce qu'ils font, Dieu le sait : Il n'a guère besoin de nos conseils. Si la vie est dure et lourde à traîner, le Rabbi la lui fera oublier. De même que le Shabbat tous les visages deviennent sereins et beaux, de même, en présence du Maître, tous les cœurs se soulèvent de joie. Le Shabbat ne distingue pas le pauvre du riche ; à tous il dispense la même paix ; grâce au Rabbi, on songe au Shabbat dès le milieu de la semaine.

... Et la fête continue. En transe, les disciples chantent toujours la même chanson ; je les envie. Ils me rappellent un temps qui n'est plus.

Brusquement, le chant tombe. Le Rabbi relève la tête. Une lueur chaude, généreuse, brille dans ses yeux sombres. Un silence total s'appesantit sur l'assemblée. Le Maître va raconter une histoire. Instinctivement, la foule s'incline en avant et retient son souffle.

Il se met à parler, le Rabbi, mais je ne l'entends pas. Pourtant, je vois ses lèvres qui remuent, et je vois les fidèles qui suivent, fascinés, leur mouvement. Suis-je le seul à ne pas entendre ? A ne plus comprendre ? A cette pensée, mon visage prend feu. J'ai honte : parce qu'ils possèdent une vérité qui m'a déserté ? Nous ne vivons plus au même rythme. Pour eux, tout continue car rien n'a changé ; pour moi, tout a changé. Pourtant, comment expliquer l'épanouissement du mouvement hassidique ? J'ai honte de l'idée qui me traverse : De tous ces gens, moi seul sais que cette survie miraculeuse relève du malentendu : le mouvement hassidique a perdu plus qu'il n'ose se l'avouer. Nous sommes malgré tout à Brooklyn et non à Sighet, Wizhnitz, Lublin ou Satmàr.

Le Rabbi parle, parle. Il raconte des paraboles troublantes, employant un langage obscur, mystique. La foule, recueillie, l'écoute avec fièvre, avec passion : il est leur lien avec l'éternité ; il est leur intercesseur ; il est leur fête.

Puis les hassidim se remettent à chanter. Près de moi, le petit garçon s'est endormi sur les épaules de son père.

Et moi, je quitte la salle, je quitte mon ami d'enfance, je quitte mon enfance et je rentre chez moi, à Manhattan, poursuivi par un sentiment de gâchis et de défaite.

XIII. Prière d'un homme

De mes contes, faites des prières, disait le célèbre Rabbi Nahman de Bratzlav à ses proches. Quant à Franz Kafka, son disciple lointain, il lui fit écho en déclarant simplement qu'écrire, *c'est* réciter des prières.

Entre la prière et la littérature, entre l'acte créateur et l'acte d'acceptation, il existe donc un lien plus qu'apparent. La prière et la littérature, toutes les deux, s'emparent de mots quotidiens et leur confèrent un sens autre ; toutes les deux font appel à ce qui, dans l'homme, est le plus personnel et le plus élevé des besoins. Et l'une et l'autre sont enracinées dans la zone la plus obscure et la plus mystérieuse de notre être. Nourries par la ferveur et l'angoisse, elles nient le détachement et l'imitation. Le poète qui, en triant les mots, finit par inventer les blancs qui les séparent, vaut le croyant qui s'accomplit par les prières qu'il ne fait que répéter. L'écrivain et le fidèle puisent à la même source collective, là où le bruit se fait langage, et le langage devient prière, et la prière se mue en offrande : l'inspiration est à l'écrivain ce que la *Kavana* est à l'homme en prière. Tendus par un moi ouvert et brûlant, ils vivent dans des états privilégiés. De même que l'être humain ne pourrait vivre sans littérature, il serait incapable de survivre sans prière.

Mais, dans la société où nous évoluons, il devient de plus en plus difficile pour l'homme moderne de prier. D'où sa tragédie : il conquiert l'espace, mais il a oublié sa prière.

Cela est vrai surtout de la jeunesse. A Moscou, j'ai rencontré des jeunes étudiants, le soir des fêtes juives, devant la grande synagogue, rue Arkhipova. Comme ils ne savaient comment faire pendant l'office, dans la salle bondée, ils se mirent à chanter. Dehors.

A Jérusalem, en juin 1967, les parachutistes israéliens, qui se définissaient comme gauchistes donc laïcs, semblaient en désarroi lorsqu'ils s'étaient retrouvés devant le Mur. Ne sachant quoi dire, ils se mirent à l'embrasser en sanglotant.

Découverte de l'expérience religieuse ? besoin de foi, de rituel peut-être ? On dirait que cette jeunesse, grandie loin ou contre Dieu, s'interroge soudain sur Son rôle dans leur vie. Nous y reviendrons. Auparavant, il me faut préciser le sens de ma propre démarche. Conteur plus que savant, je préfère les histoires aux doctrines intellectuelles. Si toute prière implique une part d'humilité, une théorie sur la prière implique le contraire. Voici donc une histoire, celle d'un homme pieux et dévot qui trébuche dans ses prières. Jour après jour, en arrivant au passage d'*Ahava rabba ahavtanu* (car Tu nous as aimés d'un grand amour), il s'arrête. Il étouffe. Rien ne sort de sa bouche. Chaque mot devient un obstacle ; il sent une ombre couvrir son regard et alourdir son souffle. Il a mal et son mal le rend triste, profondément triste, accablé de souvenirs, écrasé de remords et surtout de nostalgie ; il se souvient d'un monde englouti, celui de son enfance avec ses chants et ses images ; il se rappelle les prières naïves et ferventes de son enfance. Il a mal, de plus en plus mal et, pendant un instant, piégé, il souhaite rester muet : cela vaudrait mieux ; quoi qu'il dise ou fasse sera mensonge, trahison ou, au moins, illusion.

Cet homme, qui est-il ? De toute évidence, notre contemporain, religieux et pratiquant ; il dit ses prières et il ne les récite pas machinalement car, autrement, son problème ne nous toucherait point ou même n'existerait guère. Son problème nous affecte dans la mesure où il désire prier sans savoir comment s'y prendre ni dans quel but. Sa situation dialectique fait qu'aucune de ses options n'est valable. Nul n'a plus de raisons d'appeler Dieu, et nul n'en a autant de se détourner de Dieu. En tant qu'individu, il ne peut que remercier le ciel de l'avoir épargné ; mais, en tant que fils de la génération la plus maudite de l'Histoire, il ne peut pas ne pas lui refuser ces louanges, ces offrandes.

Pourquoi ne pas le dire ? Cet homme, nous nous reconnaissons en lui. Sa difficulté d'articuler *Ahava raba ahavtanu* pourrait être la nôtre. Ses inhibitions sont nos inhibitions, et ses doutes nos doutes. Entre les mots que nous formulons et leur contenu, nous devinons un abîme ou une muraille que nous sommes incapables de franchir. Ce que nous aimerions dire ne sera pas dit, ce que nous aimerions offrir nous a été pris.

Et pourtant. Il fut un temps où, par ces mêmes mots, nous pouvions plus facilement traverser les ténèbres et attendre la venue de l'aube ; ces mots nous rattachaient à ce qui, en l'homme, assure sa part de vérité et d'immortalité. Quelque chose a donc changé, et nous aimerions savoir quoi. En fait, tout a changé autour de nous et en nous, mais les mots sont restés les mêmes comme pour mieux nous trahir et se trahir eux-mêmes.

Jadis, c'était simple. Vivre signifiait implorer la protection divine, survivre voulait dire que nous l'avions obtenue. Pardelà la tourmente, au cœur même des tempêtes, nous savions quoi dire, quand et de quelle manière. Pour chaque circonstance, il y avait une prière, et pour chaque prière, un chant. Un ordre certain subsistait à l'intérieur de l'exil. Les versets sacrés, il fallait les dire chacun à son heure, ni plus tôt ni plus tard ; on ne laissait rien au hasard. Dans un monde déréglé et dément, on s'accrochait au *Sidour* (livre de prières), donc au *Séder* (ordre, agencement). Perdus à travers le monde, les

Juifs s'orientaient dans le temps qui parfois leur servait de refuge et d'asile. Et la prière conférait au temps son éclat, son rayonnement et sa dimension divine.

La prière, pour mes précurseurs et pour moi, leur élève, c'était quoi ? Une possibilité de rencontre — sinon une rencontre — avec Dieu et avec soi-même. Un moment de grâce, d'abandon, d'acceptation, d'affirmation. Si l'art est une manière de dire non, la prière en est une autre de répondre oui : oui à la création et à son créateur, oui à la vie et à ce qu'elle recèle, oui à la foi et à l'espérance qui s'en réclame, à la joie, à la fraternité ; en prière, nous sommes tous semblables et frères. Phare pour l'errant, pour le rêveur en quête de rêves, ouverture pour l'âme en quête de silence ou d'extase : la prière est ce dont l'homme a le plus besoin pour s'accomplir ou pour se dépasser. Compensation pour les uns, consolation pour d'autres, sublimation pour d'autres encore, elle signifie également puissance suggestive et aventure. Le cri fameux, « Ne vous fiez donc pas aux miracles, récitez des Psaumes ! », reflète beaucoup plus que l'humour d'un peuple désespéré. De même que l'étude nous permettait de vivre, la prière nous permettait d'espérer. On défiait le châtiment et les catastrophes par la prière. Il suffisait de prier — de prier bien, avec ferveur, dans un élan de sincérité — pour que Dieu et l'homme se réconcilient, pour que le Maître de l'univers offre à ses enfants courage et audace, et un peu de bonheur, et peut-être même un peu de paix. Il se peut que Dieu ait créé l'homme pour l'entendre et s'entendre chanter. Parce qu'Il aime les prières : celles de l'homme et les Siennes propres, à en croire le Talmud. En voici une composée par Dieu : « Puissé-je contenir ma colère et contempler mes enfants avec charité et compassion. »

L'histoire de la prière est donc celle de l'homme. Le Talmud l'illustre en attribuant à Adam le premier hymne en l'honneur du Shabbat. Abraham, Isaac et Jacob partagent entre eux les trois services quotidiens : Abraham est censé avoir établi celui du matin, Isaac, celui de l'après-midi et Jacob, celui du soir. Pour ne pas offenser les femmes, on accorde un office à Rachel et un autre à Léah. Les rois et les prophètes, les philosophes et les kabbalistes s'identifient tous à telle ou telle litanie. L'*Aggada* est un chant, et la *Kabbala*, le chant de ce chant. Qu'est-ce que le mouvement hassidique du Besht sinon une prière parfois chuchotée et d'autres fois hurlée ? Rabbi Nahman de Bratzlav affirme que les arbres et les feuilles, et les brins d'herbe, composent des prières ; seuls les morts ne prient pas.

Le destin d'Israël tout entier se définit par la prière qui finit par marquer ses contours : supplications en matière de santé ou de nourriture, actions de grâce pour des bénédictions reçues et partagées. Joie et mélancolie, souvenirs et lamentations, cris de jubilation et larmes d'oppression : toutes les nostalgies, toutes les aspirations, toutes les métamorphoses de l'existence juive individuelle et collective se réverbèrent dans la prière.

On ne peut concevoir Israël sans les prières qui le caractérisent. Si la Loi vient d'en haut, confiée par Dieu lui-même, il n'en est pas ainsi de la prière composée, elle, par l'homme. En répétant un texte liturgique, le fidèle remonte jusqu'à son auteur ; s'il le répète assez souvent, il finit par l'assimiler : il en sera presque l'auteur.

Autrement dit, il appartient à l'individu de faire sienne toute prière, en la recréant, en lui rendant sa force première, son actualité, son urgence.

Comme tout le reste dans la tradition juive, la prière évolue sur plus d'un plan. Tout l'humanisme juif, on pourrait l'illustrer par la parole talmudique selon laquelle la prière silencieuse — ou le silence dans la prière — avait été ajoutée à l'office pour ne pas embarrasser les pécheurs.

A l'échelle métaphysique, la prière implique une certitude ou, du moins, un souhait : Dieu n'est donc pas indifférent à ce qui, dans Sa création, la menace ou l'enrichit.

L'esthétique juive elle-même est pénétrée par la prière : les œuvres liturgiques sont parfois œuvres d'art. La littérature juive et l'histoire juive seraient amoindries et appauvries sans les innombrables *Piyoutim*, ces méditations philosophiques, lyriques et événementielles, qui jalonnent leurs parcours depuis leurs origines. Certaines *Kinot*, ces évocations martyrologiques qu'on lit à voix haute, décrivent les croisades ou les pogromes mieux que les ouvrages des historiens professionnels. Et elles contiennent plus de puissance lyrique que les poèmes des chantres de vocation. La poésie juive s'en nourrit et les nourrit : la prière juive est inévitablement poétique. Et éthique. « Les prières qu'on dit en faveur d'autrui seront reçues les premières », dit le Talmud. Celles qu'on invente contre son prochain seront repoussées. Comme le seront toutes celles qui font abstraction d'autrui. « Toute prière qui ne vise pas à améliorer la communauté ne mérite pas son nom », disait Rabbi Pinhas de Koretz. La prière qui ne reflète pas la condition humaine, ses angoisses et ses peines, le ciel la renvoie : c'est une prière morte.

Oui, jadis, c'était simple et réconfortant. La prière associait l'homme à un éternel dialogue avec Dieu. Grâce à la prière, aux accents enivrants et bouleversants, Dieu devient présent. Mieux : Dieu devient présence. Dès lors, tout devient possible et signifiant : voici le Juge suprême, voici le Père de l'humanité qui a quitté son trône céleste pour vivre et agir parmi Ses humaines créatures. Et, en échange, voici l'âme qui, portée par la prière, quitte sa demeure et monte au ciel

Substance du langage et langage du silence, voilà ce qu'est la prière : une ambiance, un projet total qui cerne l'être pour mieux le libérer ensuite. Des prières, il y en a pour toutes les situations, pour toutes les éventualités. La tradition a tout prévu : vous êtes heureux et cela vous fait peur ? Il y a une prière pour cela. Vous êtes malheureux et vous en ignorez les raisons ? Il y a une prière pour cela aussi. Certaines stimulent, d'autres apaisent, d'autres encore écorchent. Les unes formulent des requêtes, d'autres expriment la reconnaissance. Grande explication de l'existence, la prière la rythme et la façonne tout à la fois. Ôtez la prière de notre peuple, et vous aurez condamné son âme au silence.

Bien sûr, la prière répond à un besoin. Besoin de comprendre et de se faire comprendre, besoin de croire qu'il y a un être quelque part qui vous comprend. Besoin de parler, de se confier, de chanter et de se souvenir, de participer à quelque chose de plus grand que soi. Besoin de se perdre pour se retrouver rasséréné, entier : pardonné. Besoin de justifier le bien ou la souffrance dans le présent, besoin de chanter sa peine et de la pleurer, besoin de se laisser aller, et aussi besoin d'être, besoin de prendre conscience de son être.

C'est qu'il est possible de vivre, ou du moins de subsister, sans espérance et peut-être même sans vérité, mais non sans prière. Car prier signifie pression, mouvement vers le dedans et le dehors, mouvement vers la vie.

La prière est, au sens plein du terme, un acte de foi. Foi en Dieu et en l'Histoire, foi en Dieu comme Maître de l'Histoire, juste autant que tout-puissant et charitable. Foi en la parole, foi en la foi. Sans elle, la prière n'est que parodie. Prier veut dire se montrer capable de mesurer nos manques autant que nos possessions, d'apprécier à la fois notre être et notre devenir, de recevoir autant que de donner. Sans cette facultélà, l'homme serait privé d'une dimension essentielle. Nul n'est plus à plaindre que l'être qui ne sait pas prier : ne pas prier n'est pas péché mais châtiment. L'heure la plus tragique de la vie du Besht est celle où, puni, il oublie ses prières. La récompense de la prière ? La prière. Prier signifie briser la solitude, la peur de la solitude. Remède à la souffrance et aux persécutions, la prière l'est davantage contre la solitude.

Si Elisha ben Aboya avait choisi d'entrer dans la Maison d'étude pour se mêler aux savants et à leurs disciples, s'il avait opté pour les prières juives tout en reniant la pensée juive, son sort aurait été moins tragique. A un niveau différent, et dans un autre siècle, c'est la prière qui sauvera Franz Rosenzweig et le ramènera à son peuple. La position de Rava n'a pas trouvé écho dans la tradition juive : la prière donne vie plus qu'au seul présent ; de même que la Torah, elle suggère l'éternel. Les deux nous sont nécessaires pour persévérer, pour sauvegarder l'équilibre. L'erreur de Rava ? Il n'aurait pas dû les opposer. L'étude et la prière sont offertes à l'homme, ensemble, pour qu'il s'élève vers les sphères les plus hautes. L'une sans l'autre ne saurait subsister. Ce que la Torah fait à la raison, la prière le fait à l'âme. Le savant pourrait se sentir seul en étudiant, mais non pas en priant.

Tout cela est vrai de tous les hommes et plus encore de l'homme juif. En priant, il s'unit à la communauté d'Israël. Que le Juif le plus solitaire adhère à un *Minyan,* à un groupe recueilli, et il sera moins seul. Le fait qu'il récite des textes que, au même moment, d'innombrables individus répètent dans le monde entier devient pour lui soutien émouvant. Du coup, il devient conscient que sa voix ne se perd pas, que ses paroles viennent de quelque part et que, quelque part, elles laissent des traces. Le fait que, durant des générations et des générations, des Juifs appartenant à toutes les couches sociales, s'exprimant dans toutes les langues, disaient les mêmes mots pour communiquer leur peur ou leur reconnaissance, ne pourra que le persuader qu'il fait partie d'une communauté dont il ne mesure pas l'étendue : il y découvre des précurseurs autant que des alliés. Il apprend comment Rabbi Akiba se comportait en allant à la mort, comment Rabbi Shimon bar Yohai accueillait le jour dans sa cave, et il se rend compte qu'il n'est pas un étranger égaré dans la création.

Or, ce besoin de prier, de communier, subsiste toujours, et même plus qu'avant. Et non seulement chez les Juifs, mais chez d'autres peuples et d'autres cultures. Le culte de Staline avait un aspect religieux, sinon franchement mystique. Qu'on relise ce que certains poètes, romanciers, essayistes, critiques et intellectuels avaient écrit à sa gloire et à celle de son régime ; comment peuvent-ils écrire encore — dans d'autres revues, bien entendu, et suivant une ligne fort différente ? Tous se voulaient prêtres de la religion communiste, et certains étaient devenus ses inquisiteurs. Staline n'a fait que changer de religion, une religion dont il était la divinité et le prophète.

Le réveil de la religiosité dans le monde occidental actuel est un phénomène discuté mais non contesté. Des scientifiques ne cachent pas leur désir de redécouvrir les choses de l'esprit. A Paris et aux Etats-Unis, et jusque dans les bases de la NASA, des savants nucléaires, des biologistes et des physiciens ont décidé de plonger dans l'océan qu'est le Talmud. Ils ont conclu, au bout de leurs recherches, que la technologie avait résolu de faux problèmes. Nous avons conquis la machine et non le cœur humain. La distance séparant deux mots est pourtant plus grande qu'entre la Terre et Mars. Jamais l'homme n'a fui si vite de tant d'endroits ; il n'a jamais été à ce point aliéné, traumatisé.

C'est que la civilisation a fait faillite, lors de la Seconde Guerre mondiale, sous les cieux incendiés de Pologne. Elle tua en l'homme sa faculté d'adorer, de s'enthousiasmer : de prier. Non qu'il n'en éprouve pas le besoin, mais il ne parvient point à le satisfaire. L'adage talmudique « La destruction du Temple a causé la fermeture des portes de la prière » s'applique au présent plus qu'au passé. Nous avons, dans la bouche, le goût de cendre et de vin : ces deux expériences défient le langage. Aucune lamentation ne serait assez grave, ni assez déchirante ; aucun éloge ne serait assez humble. Nous avons vu ce que nul n'a vu et ne verra : le Temple en flammes et les survivants, autour, s'acharnant à le rebâtir. Devant tant de larmes, devant tant de courage, nous comprenons les personnages de Beckett : nous laissons échapper des sons inarticulés, primitifs. Notre seule tentation est de nous taire.

« Quiconque pleure sur la destruction de Jérusalem, dit le Talmud, assistera à sa reconstruction dans l'allégresse. » Et Saül Libermann, notre Maître à tous, de commenter : il y a donc lien entre ces deux attitudes. C'est que la réciproque est également vraie : qui ne porte pas dans son cœur la tristesse pour la Jérusalem vaincue, ne connaîtra pas la joie en la voyant rétablie souveraine et glorieuse. Et d'expliquer : si notre survie et notre renaissance ne nous rendent pas fous, fous de joie et fous de bonheur, c'est parce que nous n'avons pas su pleurer.

En littérature, je suis bien placé pour le savoir, cette impuissance a des conséquences graves. Parmi les centaines d'ouvrages consacrés à ces deux thèmes, à ces deux événements, aucun ne leur fait justice. Rien d'étonnant à cela. Par leur ampleur, ces moments métahistoriques nous dépassent. Nul effort artistique ne saura traduire le désespoir d'un enfant, d'un père dans le ghetto, ni leur fierté d'être restés ensemble, s'ils sont restés ensemble, s'ils sont restés en vie. Aucun poète, s'il n'a pas perdu la raison, ne saura révéler ce qui lui a fait côtoyer la folie. Auschwitz et Jérusalem : deux mystères désignant la même vérité, mais l'homme est trop faible pour la saisir. Autrefois, l'imagination artistique précédait le réel ; ici, elle restait en arrière, en retrait, rivée à la honte de sa propre défaite.

Cela n'est pas moins vrai de la liturgie. Insatisfaisante dans l'ensemble. Les prières à notre disposition semblent inadéquates. Comment un homme peut-il, au siècle d'Auschwitz et de Majdanek, affirmer et confirmer la grandeur, la justice, la grâce de notre Père au ciel ? Eh oui, nous comprenons fort bien notre héros qui n'arrive point à prononcer les mots « Tu nous as aimés d'un grand amour... ».

« Un grand amour », et Auschwitz ? « Une immense compassion », et Belsen ? Mais comment le fidèle peut-il réciter ces mots sans les faire mentir ? sans les faire blasphémer ? De deux choses l'une : ou bien la prière se rattache au présent, au réel, au concret, ou bien elle n'est qu'abstraction. Juifs, nous croyons que, bien qu'intemporelle, elle s'insère dans le vécu. Mais alors, comment faisons-nous pour articuler des phrases vidées de tout contenu ? Mille et mille écoles déracinées et « Tu as aimé Ton peuple » ? Un million d'enfants juifs massacrés et jetés vivants dans les flammes et « Tu nous as choisis parmi les autres peuples » ?

Eh oui, disons-le, crions-le clairement : comment fait-on pour prier après ce qui s'est passé ? comment l'homme peut-il se tourner vers Dieu alors que Ses voies nous semblent plus obscures et Sa face plus éclipsée, et Sa grâce plus occultée que jamais ?

Qu'on ne nous dise pas que Dieu n'y était pour rien. Cette idée est à l'opposé de tout ce que symbolise le judaïsme. Dieu participe au destin de l'homme, en bien autant qu'en mal. Quiconque Le bénit pour Jérusalem mais ne L'interroge pas sur Treblinka est purement et simplement hypocrite. Dieu se veut à l'origine de tous nos actes, et à leur dénouement aussi. Il est à la fois question et réponse. Voilà le piège : de même qu'on ne conçoit pas Auschwitz avec Dieu, on ne le conçoit pas sans Dieu. D'où la question : devons-nous Le servir ou refuser de Le servir ? prier comme si de rien n'était, mais alors, ne serait-ce pas de la lâcheté ? Est-ce cela que Dieu réclame à l'homme : se montrer lâche ?

Nous revoici au cœur du problème qui nous préoccupe... dans la mesure où nous tenons à Lui.

Pour l'incroyant, bien sûr, le problème ne se pose pas. Aussi, le drame du croyant nous semble plus angoissant, son déchirement plus profond. Face à la rupture que représente le Royaume de la nuit, quelle devrait — ou pourrait — être son attitude ?

Ses options sont limitées. La révolte en est une : il pourrait tout simplement cesser de pratiquer la religion, cesser de servir Dieu, cesser de prier — et nul n'aura le droit de le lui reprocher. La tradition juive, seule, permet à l'individu de s'élever contre le ciel. D'Abraham à Moïse, de Jérémie à Levi-Yitzhak de Berditchev, penseurs et poètes, sages et Justes, on trouve, parmi eux, un nombre considérable de contestataires qui mettaient en cause les attributs du Seigneur et Sa place singulière dans l'Histoire. Un disciple de Rabbi Yishmael s'écria, faisant un jeu de mots : « *Mi kamokha baélim adoshem* (qui est comme Toi parmi les dieux), *al tikra élim ki im ilémim* (qui est muet comme Toi, car Tu vois l'humiliation de Tes enfants et Tu te tais) ! » Pour un homme moderne, crier contre les voies du ciel, c'est naturel et juste : cela n'est pas une déviation de notre tradition. Les membres de la *Knesset hagdola*, la prestigieuse Assemblée législative d'il y a deux mille ans, refusèrent pour un temps de nommer les attributs de Dieu : s'Il est grand et puissant, pourquoi laisse-t-Il faire l'ennemi ? De nos jours aussi, on peut choisir la révolte et rester à l'intérieur du judaïsme. Mais que cette

177

révolte se renouvelle tous les jours, toutes les nuits, dans le contexte de la foi et non de sa négation. Autrement dit, pour que le refus ait une valeur, il doit être issu de l'acceptation. Chaque fois, l'homme doit déclarer : « Maître de l'univers, je sais et Tu sais qu'il est l'heure de la prière... Mais je ne tiens pas à le savoir. Je me rends compte que je dois, que je devrais prier, mais je ne le ferai pas, Tu m'entends, Maître de l'univers ? » S'il agit ainsi, s'il s'exprime ainsi, son non devient oui, son refus de prier deviendra prière.

Autre option : persévérer dans nos prières et contraindre le Seigneur à ressembler à Ses attributs. Comme le disait le Rabbi Mendel de Kotzk : On implore Dieu notre père, on L'implore tant qu'Il finira par devenir notre père. Autrement dit : on Le dit tant de fois juste et charitable qu'à la fin, Il le sera. Paradoxalement, cela signifie qu'Il ne l'est pas. Là, la prière n'est qu'une autre forme de défi et de protestation. On évoque Son amour parce que nous souffrons de Son absence d'amour. Et parce qu'Il a permis violence et effusion de sang, on glorifie Sa bonté. La prière apparaît ainsi comme un moyen de sanctifier Son Nom *malgré* les fosses communes, et de hurler nos bénédictions malgré les ombres enflammées qui envahissent l'horizon. « Des profondeurs nous T'appelons », disent les Psaumes. Malgré le fait que nous soyons dans les profondeurs de l'abîme, nous T'appelons. Nous Te réclamons. Malgré ce que Tu as fait — ou laissé faire — à Ton peuple, nous croyons en Toi, nous chantons Ta gloire. Plus ce sera difficile, plus notre chant sera fervent.

J'ignore si l'homme postconcentrationnaire est en mesure de revendiquer ces options — ou même s'il en a le droit —, mais je sais que, durant la tourmente, dans les ghettos et les camps, à l'intérieur des murailles de feu et de mort, certains Juifs les avaient adoptées.

C'est l'un des mystères les plus poignants de cette époque : même dans le royaume de la mort et de l'abjection qui est pire que la mort, des hommes et des femmes, au péril de leur vie, s'acharnaient à observer autant de commandements religieux que possible. Certains jeûnèrent le jour du Grand Pardon et refusèrent d'avaler du pain pendant la Pâque. J'en connais qui n'avaient jamais mangé de viande non kasher.

Je me souviens, je me souviendrai toujours des aubes grises à Auschwitz et à Buna où nous faisions la queue pour mettre les *téphilines*, ces phylactères que, je ne sais comment, quelqu'un avait réussi à introduire au camp. Je me souviens, je me souviendrai toujours des offices de Rosh-Hashana sous un ciel bleu et glacial, des prières de *Kol-Nidré* et du *Kaddish* que nous disions pour les morts et les vivants, je me souviens de tous les mots que nous avions prononcés *là-bas,* remerciant Dieu de Sa bonté, de Sa générosité, de Son amour envers Ses enfants.

Parfois, je ne comprends pas : comment pouvaient-ils, comment pouvions-nous dire tout cela en cet endroit ? Je ne sais pas. Était-ce, de notre part, une tentative pour juger le Juge, Le rendre responsable de notre désespoir et de notre impuissance ? Dans la tradition juive, toute situation peut se transformer en défi, toute prière en appel. Malgré la foi, l'homme se révolte ; l'homme continue de se révolter malgré la foi, affirmer la foi malgré la révolte.

Or, il n'y a jamais eu pareil affrontement entre Dieu et l'homme comme il y en avait *là-bas.* Ils n'ont jamais été si totalement mis à l'épreuve. Et jamais le résultat n'a été aussi nébuleux.

Une grande protestation théologique y fut énoncée, mais elle n'avait rien à voir avec l'athéisme. Au contraire, les paroles indiquèrent acceptation, soumission et bénédiction. Ils disaient le *Kaddish* en se dirigeant vers les fosses communes, vers les flammes, et, volontairement ou non, consciemment ou non, ils en avaient fait un acte d'accusation d'une audace sans précédent.

Est-ce donc là la réponse ? Non, c'est la question. Qu'est-ce que la foi : besoin ou art ? expression de faiblesse ou de force ?

Le Gaon Rabbi Eliyahu de Vilno disait que le plus difficile des commandements de la Torah est celui qui nous ordonne de nous réjouir pendant les fêtes. Pourquoi difficile ? Je ne le comprenais pas. Pendant la guerre, j'ai fini par comprendre. Des Juifs qui, en route pour Birkenau, dans les wagons scellés, dansaient le soir de *Simhat-Torah* ; des Juifs qui, malgré les travaux accablants, malgré les coups de matraque, chantaient silencieusement les prières de Shabbat, la veille et le jour du Shabbat : oui, c'était difficile d'observer ces commandements, c'était impossible de les accomplir, et pourtant...

Revenons donc au héros triste de mon histoire. Nous l'avons laissé au moment où, écrasé de malheurs, il ne réussissait pas à dire « Et Tu nous aimeras d'un grand amour ». Mais, à la fin, il le dira quand même. Il le dira en serrant les dents, mais il le dira. Pour quelle raison ? Parce que d'autres Juifs, avant lui, l'ont dit. De quel droit sera-t-il celui qui les abandonnera, eux ? De quel droit interromprait-il une prière que d'autres Juifs, ailleurs, ont maintenue vivante ?

Certes, il hésite. Mais sans son temps d'arrêt, sa prière ne serait qu'une habitude, une complaisance. En hésitant, il en fait un rappel. Et un conte. Finalement, nous partageons tous les aspirations de Rabbi Nahman de Bratzlav. Quant à moi, son disciple, j'aimerais que, de mes contes, on fasse des contes, de mes prières, des prières, sans que personne n'arrive à distinguer les uns des autres, pas même moi, moi moins que n'importe qui.

XIV. Changer

Ai-je changé ? Bien sûr. Tout le monde change. Vivre signifie traverser un certain temps, un certain espace : avec un peu de chance, on y laisse quelques traces. Celles du début ne sont pas les mêmes que celles de la fin. Certes, le prologue et l'épilogue souvent se rejoignent, mais ils ne sont pas identiques. S'ils l'étaient, le chemin parcouru serait triste et dévasté. Or, ma tradition me l'enseigne, le chemin conduit quelque part, et, bien que le point d'arrivée ne change pas, les étapes varient et se renouvellent. Attiré par l'enfance, le vieillard la cherchera de mille manières différentes.

Moi, je cherche la mienne, je la chercherai toujours. J'en ai besoin. Elle m'est nécessaire comme repère, comme refuge. Elle représente pour moi un monde qui n'est plus, un royaume ensoleillé et mystérieux où les mendiants étaient des princes déguisés, et les fous des sages libérés de leurs contraintes.

En ce temps-là, dans cet univers-là, tout paraissait simple. Les êtres naissaient et mouraient, espéraient ou désespéraient, invoquaient l'amour ou l'angoisse comme appel ou barrière : je comprenais certaines choses, pas toutes ; je me résignais à l'idée que, pour les expériences essentielles, la quête est déjà une victoire ; même si elle n'aboutit guère, elle représente un triomphe. Il me suffisait de savoir que quel·

181

qu'un connaissait la réponse ; moi, ce que je cherchais, c'était la question.

C'était sous cette forme-là que je voyais l'homme et sa place dans la création : il lui appartenait d'interpeller ce qui l'entourait et ainsi de se dépasser. Ce n'est pas par hasard, me disais-je, que la première question, dans la Bible, est celle que Dieu posa à Adam : « Où es-tu ? » « Quoi ? s'écria un grand Maître hassidique, le Rabbi Shneour-Zalmen de Ladi, Dieu ne savait pas où se trouvait Adam ? Mais non, ce n'est pas ainsi qu'il faut lire cette question. Dieu savait, Adam non. »

Voilà donc ce que l'homme doit toujours chercher à savoir, pensais-je : son rôle dans la société, sa place dans l'Histoire. Son devoir, c'est de s'interroger tous les jours : où suis-je par rapport à Dieu et à autrui ?

Et, chose bizarre, l'enfant savait ce que l'adulte oublierait. Eh oui, dans ma petite ville, quelque part dans les Carpates, je savais me situer. Je savais pourquoi j'existais. J'existais pour glorifier Dieu et sanctifier Sa parole. J'existais pour lier mon destin à celui de mon peuple, et celui de mon peuple à celui de l'humanité. J'existais pour faire le bien et combattre le mal, pour accomplir la volonté du ciel ; bref, pour insérer chacun de mes actes, chacun de mes rêves, chacune de mes prières dans le dessein de l'Éternel.

Je savais que Dieu était à la fois proche et lointain, magnanime et sévère, rigoureux et clément. Je savais que j'appartenais à son peuple élu — élu pour Le servir par la souffrance en même temps que par l'espérance. Je savais que je me trouvais en exil et que l'exil était total, universel, voire cosmique. Je savais également que l'exil ne durerait pas, qu'il s'achèverait dans la rédemption. Je savais tant de choses, sur tant de sujets. Je savais quand me réjouir et quand me lamenter : je consultais le calendrier, tout y était.

Maintenant, je ne sais plus rien.

Comme dans un miroir poussiéreux, je regarde mon

enfance et je me demande si elle est mienne. Je ne me reconnais pas dans l'enfant qui y étudie avec ferveur, qui y dit ses prières. C'est qu'il est entouré d'autres enfants ; il marche comme eux, avec eux, le front bas et les lèvres serrées, il avance dans la nuit comme attiré par ses ténèbres. Je les contemple, tandis qu'ils entrent dans un abîme de flammes, je les vois transformés en cendre, j'entends leurs cris devenus silence, et je ne sais plus rien, je ne comprends plus rien : ils ont emporté mes certitudes et personne ne me les rendra.

Il ne s'agit pas seulement de questions ayant trait à la foi religieuse. Il s'agit aussi de toutes les autres. Il s'agit de redéfinir, ou au moins de repenser, mes rapports avec autrui et avec moi-même : ont-ils changé ? Je crois pouvoir répondre oui, sans la moindre hésitation. Avec le recul, je me rends compte qu'ils ne sont plus les mêmes. Essayons d'être plus précis. Mon attitude envers les Chrétiens, par exemple : méfiante sinon hostile avant la guerre, lucide et accueillante après.

Avant la guerre, j'évitais tout ce qui venait de l'autre côté, c'est-à-dire de la chrétienté. Les curés me faisaient peur, je les évitais : pour ne pas les croiser, je changeais de trottoir. Je redoutais tout contact avec eux. Je craignais d'être enlevé par eux et forcé au baptême. J'avais entendu tant de rumeurs, tant d'histoires de ce genre : j'avais l'impression que je me trouvais toujours en péril.

A l'école, j'étais assis avec des garçons chrétiens de mon âge, mais nous ne nous adressions pas la parole. Aux heures de récréation, nous jouions séparés par un mur invisible. Je n'ai jamais visité un camarade chrétien chez lui. Nous n'avions rien en commun. Plus tard, ayant atteint l'âge de l'adolescence, je les fuyais ; je les savais capables de tout. De me battre, de m'humilier en m'arrachant les *payèss* ou en s'emparant de ma casquette sans laquelle je me sentais nu. Mon rêve d'alors ? Vivre dans un monde juif, tout à fait juif, un monde où les Chrétiens n'auraient guère d'accès. Un monde protégé, ordonné selon les Lois du Sinaï. Bizarre mais, me réveillant dans le ghetto, je découvris en moi un sentiment d'exaltation : enfin, nous vivrons entre nous. Je ne savais pas encore que ce n'était qu'une étape, la première, vers une petite gare, quelque part en Pologne, nommée Auschwitz.

Contrairement à ce que je pouvais penser, mon changement véritable eut lieu non pas dans les camps, mais après leur libération. Durant l'épreuve, je vivais dans l'attente d'un miracle ou de la mort. Atrophié, j'évoluais passivement, acceptant les événements sans les mettre en question. Certes, il m'arrivait de ressentir révolte et colère contre les tueurs et leurs complices, et aussi contre le Créateur qui les laissait faire. Il m'arrivait de songer que l'humanité était perdue à tout jamais, et que Dieu lui-même n'était pas capable de lui offrir le salut. Il m'arrivait de me poser des questions qui, jadis, m'auraient fait frémir : sur le mal dans l'homme, sur le silence de Dieu. Mais je continuais à agir comme si j'y croyais encore. La camaraderie, dans le camp, m'était importante ; je la recherchais, et cela malgré les efforts des tueurs pour la dénigrer et la nier. Les liens de famille, je m'y accrochais, et cela en dépit des tueurs qui les transformaient en pièges dangereux et mortels. Quant à Dieu, je continuais à dire mes prières.

Ce n'est que plus tard, en sortant du cauchemar, que je traversai une crise prolongée, douloureuse et angoissante, mettant en cause mes certitudes passées.

Je me mis à désespérer de l'homme et de Dieu ; je les considérais comme ennemis l'un de l'autre, et tous deux comme ennemis du peuple juif. Je n'en parlais pas à voix haute, pas même dans mes notes. J'étudiais l'histoire, la philosophie, la psychologie ; je voulais comprendre. Plus j'apprenais et moins je comprenais. J'en voulais aux Allemands : comment pouvaient-ils se réclamer de Goethe ou de Bach, et en même temps massacrer d'innombrables enfants juifs ? J'en voulais à leurs complices hongrois, polonais, ukrainiens, français, hollandais : comment pouvaient-ils, au nom d'une idéologie perverse, se retourner contre leurs voisins juifs au point de piller leurs demeures et de les dénoncer ? J'en voulais au pape Pie XII : comment pouvait-il garder le silence ? J'en voulais aux chefs des pays alliés : comment pouvaient-ils donner l'impression à Hitler que, en ce qui concernait les Juifs, il pouvait en faire ce qu'il voulait ? Pourquoi n'avaient-ils pris aucune mesure pour les sauver ? pourquoi leur avait-on fermé toutes les portes ? pourquoi n'avait-on pas jeté quelques bombes sur les lignes de chemin de fer conduisant à Birkenau, ne fût-ce que pour montrer à Himmler que les Alliés n'étaient pas indifférents ? Et, pourquoi ne pas l'avouer, j'en voulais à Dieu aussi, au Dieu d'Abraham, d'Isaac et de Jacob : comment pouvait-Il abandonner Son peuple au moment où il avait besoin de Lui ? comment pouvait-Il le livrer aux tueurs ? comment expliquer, comment justifier la mort d'un million d'enfants juifs ?

Pendant des mois et des mois, pendant des années, je vécus seul. Je me méfiais du prochain, je soupçonnais mon semblable. Je ne croyais plus au verbe comme véhicule de pensée et de vie ; je fuyais l'amour, n'aspirant qu'au silence et à la démence. Écœuré de l'Occident, je me tournai vers l'Orient. Je subis l'attrait du mysticisme hindou, je m'intéressai au soufisme, je me mis même à explorer les domaines occultes des sectes marginales, çà et là en Europe. C'est simple : je cherchais autre chose. Je tenais à m'aventurer de l'autre côté de ce que fut le réel, de ce qui constitua la base de la civilisation. La méditation comptait plus pour moi que l'action ; je me noyais dans la contemplation. Le dehors des choses me répugnait, et celui des êtres bien davantage. Si j'avais pu m'installer dans un *Ashram* quelque part en Inde, je l'aurais fait. Mais je ne le pouvais pas. J'avais vu, sous le ciel incandescent de l'Inde, une souffrance incommensurable, innommable ; je ne pouvais la tolérer. Face à elle, le problème du mal s'imposait à moi avec une force destructrice. J'avais le choix entre me renfermer ou fuir. Or, je ne tenais pas à être complice. Des amis hindous traversaient la rue en enjambant une foule de mutilés et de malades sans même les regarder ; moi, je ne pouvais pas. Je regardais et je me sentais coupable. Finalement, je compris : je suis libre de choisir ma souffrance mais non celle de mon semblable. Or, ne pas voir les affamés devant moi, c'était accepter leur destin à leur place, en leur nom, pour eux et même contre eux — ou, au moins, comme eux. Ne pas remarquer leur détresse, c'était la considérer comme logique, voire juste. Ne pas hurler contre leur misère, c'était l'alourdir. Comme je me sentais trop faible pour crier, pour tendre la main à tant d'enfants défigurés, comme je refusais de comprendre que certaines situations ne pouvaient être changées, je préférai m'en aller, je revins vers l'Occident et ses ambiguïtés nécessaires.

Cela dit, je pratiquais l'ascèse à ma manière : chez moi, dans mon petit monde, à Paris, où il m'arrivait de me retrancher de la ville et de la vie, des semaines durant. Je vivais dans une chambre qui tenait de la cellule de prison : impossible d'y tenir à deux. Les bruits de la rue me parvenaient estompés. Mon horizon se rétrécissait de plus en plus : je ne regardais que la Seine qui charriait son écume, je n'apercevais plus le ciel qui s'y miroitait. Les gens, je m'en écartais. Nul contact, nulle liaison ne venait interrompre ma solitude. Je ne vivais que dans les livres où ma mémoire aspirait à rejoindre une mémoire plus vaste, plus ordonnée aussi. Et plus je me souvenais, plus je me sentais exclu et seul.

Je me sentais surtout étranger. J'avais perdu ma foi, donc mon sens d'appartenance et d'orientation. Ma foi en la vie : couverte de cendre. Ma foi en l'homme : dérisoire, puérile, stérile. Ma foi en Dieu : ébranlée. Choses et paroles avaient perdu leur signification, leur axe. Une image de la *Kabbala* décrit mon état d'âme d'alors : la création tout entière s'était déplacée de son centre pour s'exiler. Sur qui m'appuyer ? à quoi m'accrocher ? Je me cherchais, je me fuyais et, toujours, ce goût d'échec, ce sentiment de défaite en moi.

Un membre du *Sonderkommando* de Treblinka se demanda s'il arriverait un jour à rire de nouveau ; un autre, de Birkenau celui-là, se demanda s'il arriverait un jour à pleurer de nouveau.

Je ne riais pas, je ne pleurais pas. Je me taisais et je savais que, jamais, je ne saurais traduire le silence que je portais en moi : je me trouvais encore dans le ghetto.

En un sens, je m'y trouve toujours. C'est naturel. Je n'y puis rien : le ghetto est en moi, en nous. Il ne nous quittera jamais. Nous sommes ses prisonniers. Le monde, c'est à travers la fente de ses murailles que nous l'apercevons.

Et pourtant, il y a eu un changement dans notre comportement. D'abord, nous nous exprimons. Le secret qui me mine, je m'efforce de le partager. Les fantômes qui m'habitent, j'essaye de les faire parler. Est-ce à dire que la blessure s'est cicatrisée ? Elle demeure brûlante. Je suis toujours incapable d'en parler. Mais je me sens capable de *parler* — voilà le changement.

Besoin de communication ? de communauté peut-être ? J'évoque des souvenirs qui précèdent les miens, je chante le chant des royaumes anciens, je décris des mondes engloutis : j'existe par ce que je dis autant que par ce que je tais. Pour protéger l'univers silencieux qui est à moi, je raconte celui des autres. Pour ne pas parler de ce qui me fait mal, j'explore d'autres sujets : bibliques, talmudiques, hassidiques ou contemporains. J'évoque Abraham et Isaac pour ne pas dévoiler les mystères de mes rapports avec mon père. Je raconte l'aventure du Besht pour ne pas devoir insister sur la fin de ses descendants. Autrement dit, la littérature est devenue pour moi une manière de vous faire détourner le regard. Les contes que je rapporte ne sont jamais ceux que j'aimerais, que je devrais raconter.

C'est que l'essentiel ne sera jamais dit ni compris. Peut-être devrais-je préciser ma pensée : ce n'est pas parce que je ne parle pas que vous ne me comprenez pas ; c'est parce que vous ne me comprendrez pas que je ne parle pas.

C'est ainsi et nous n'y pouvons rien : ce que certains êtres ont vécu, vous ne le vivrez jamais — heureusement pour vous, d'ailleurs. Leur expérience a fait d'eux des êtres à part : ni meilleurs ni pires, mais différents. Plus vulnérables et en même temps plus endurcis que vous : la moindre flèche leur fait mal, mais la mort ne leur fait plus peur. Vous les regardez de travers et ils en souffrent ; et pourtant, les coups les plus durs, les déceptions les plus amères, ils savent les encaisser.

Cela vaut à la fois pour leurs rapports avec leurs semblables et pour leur relation à Dieu. De Dieu, ils attendent tout et sont conscients, cependant, que ce tout ne sera pas suffisant : Dieu Lui-même est incapable de changer le passé ; même Lui ne peut faire en sorte que le tueur n'ait pas tué 6 millions de fois. Comment pourrait-Il donc se racheter ? Je n'en sais rien. Je suppose qu'Il ne le pourra pas. Ceux qui prétendent que ceci ou cela constitue une réponse à l'holocauste se contentent de bien peu.

Je l'ai pensé après la guerre, je le pense toujours. Et pourtant : je me surprends à éprouver un besoin oublié de réciter certaines prières, de chanter certains airs, de plonger dans une certaine ambiance qui avait pénétré mon adolescence. Comme tout le monde, je donnerais tout ce que je possède pour me réveiller et voir que nous sommes en 1938-1939 : que je n'avais fait que rêver l'avenir.

Je donnerais beaucoup pour pouvoir revivre un Shabbat de ma petite ville, quelque part dans les Carpates. La blancheur des nappes, les flammes clignotantes des bougies, les visages rayonnants autour de moi, la voix mélodieuse de mon grand-père, le hassid de Wizhnitz, invitant les anges du Shabbat à l'accompagner jusque dans notre foyer : j'ai mal rien que d'y songer.

Voilà ce qui me manque le plus : une certaine paix, une certaine mélancolie que le Shabbat, à Sighet, offrait à ses enfants, grands et petits, jeunes ou vieux, riches et pauvres. C'est ce Shabbat qui me fait défaut. Son absence me rappelle toutes les autres. Elle me rappelle que les choses ont changé dans le monde, que le monde lui-même a changé.

Et moi aussi.

REPÈRES

Certains de ces textes ont paru : « Pourquoi j'écris » dans *Confronting the holocaust, the impact of Elie Wiesel*, par Alvin Rosenfeld et I. Greenberg. « pèlerinage au pays de la nuit » dans le *New York Times*. « La fin d'un peuple » dans le *Los Angeles Times*. « L'éternité étrusque » dans *Midstream Magazine*. « Le Juif et la guerre » : communication faite au Colloque des intellectuels juifs de France, 1975. « Prière d'un homme » : conférence donnée à l'Université Bar-Ilan, 1972. « Changer » a paru dans *The Christian Century* en 1981. Les chroniques ont été publiées dans : *The Jewish Chronicle. The Jewish Frontier. Hadassah Magazine. Yedioth Ahronoth.*

Table

IMP. SEPC A SAINT-AMAND (12-82).
D. L. NOVEMBRE 1982. Nº 6272-3 (1962)